우리들의 일그러진 영웅

우리들의 일그러진 영웅

초판　1쇄 발행 1998년 12월 24일
초판 124쇄 발행 2021년 12월 31일

글쓴이 이문열
그린이 권사우

편집장 천미진
편　집 임수현, 최지우, 김현희
디자인 한지혜, 이지현
마케팅 한소정
경영지원 한지영

펴낸이 한혁수
펴낸곳 도서출판 다림
등　록 1997. 8. 1. 제1-2209호
주　소 07228 서울시 영등포구 영신로 220 KnK 디지털타워 1102호
전　화 02-538-2913　**팩　스** 070-4275-1693
블로그 blog.naver.com/darimbooks
전자 우편 darimbooks@hanmail.net
다림 카페 cafe.naver.com/darimbooks

ISBN 978-89-87721-09-5　73810

제품명: 우리들의 일그러진 영웅 | **제조자명:** 도서출판 다림 | **제조국명:** 대한민국
전화번호: 02-538-2913 | **주소:** 서울시 영등포구 영신로 220 KnK 디지털타워 1102호
제조년월: 2021년 12월 31일 | **사용연령:** 10세 이상
*KC마크는 이 제품이 공통안전기준에 적합하였음을 의미합니다.

⚠ 주　의

아이들이 모서리에 다치지
않게 주의하세요.

우리들의 일그러진 영웅

이문열 글·권사우 그림

다림

작가가 글을 쓸 때에는 읽을 사람을 머릿속에서
미리 정한다. 이른바 '독자의 상정(想定)'이라는
것이다. 그런데 "우리들의 일그러진 영웅"을 쓸 때,
필자가 머릿속에서 정하고 있던 독자는 어린이가
아니었다. 그럼에도 이 글의 일부가 초등학교 교과서에
실리면서 어린이 독자를 갖게 되었다. 기쁜 마음 한편에
어린이용으로 다시 써야 온당하다는 마음을 늘 가지고
있었다. 어린이들에게 맞게 문장 구조를 손보고 낱말을
바꾸었지만 그래도 마음이 놓이지 않는다.
부디 바르게 이해되어 자라는 정신에게 글 읽는 재미와
교훈을 아울러 줄 수 있기를 바랄 따름이다.

이문열

차례

별써 30년이 다 되어 가지만, 그해 봄부터
가을까지의 외롭고 힘들었던 싸움을 돌이켜보면,
언제나 그때처럼 막막하고 암담해진다. 어쩌면 그런
싸움이야말로 우리가 살아가면서 흔히 빠지게 되는
일이고, 그래서 실은 아직도 내가 거기서 벗어나지 못했기
때문에 받게 되는 느낌인지도 모르겠다.

자유당 정권이 그 마지막 기승을 부리고 있던 그해
3월 중순, 나는 자랑스레 다니던 서울의 명문 초등학교를
떠나 시골의 한 작은 읍내 학교로 전학을 가게 되었다.
공무원인 아버지가 한직으로 밀려나게 되자 우리 가족
모두가 이사를 가게 된 까닭이었는데, 그때 나는 열두

살로 이제 막 5학년이 된 참이었다.

그 전학 첫날 어머님의 손에 이끌려 들어서게 된 Y 초등학교는 여러 가지로 실망스럽기 그지없었다. 붉은 벽돌로 지은 웅장한 3층 본관을 중심으로 줄줄이 늘어선 새 건물만 보아 온 내게는, 낡은 시멘트 건물 한 채와 임시로 쓰고 있는 판자 건물 몇 채로 이루어진 그 학교가 어찌나 초라해 보이던지, 갑자기 몰락한 거지 왕자가 된 듯한 턱없는 감상에 젖어들기까지 했다. 크다는 것과 좋다는 것은 아무 관계가 없음에도 불구하고, 한 학년이 열여섯 학급이나 되는 학교에서 공부해 온 탓인지 한 학년이 겨우 여섯 학급밖에 안 된다는 것도 그 학교를 까닭 없이 얕보게 했고, 남학생반과 여학생반을 갈라놓은 것도 촌스럽게만 보였다.

거기다가 그런 내 첫인상을 더욱 굳혀 준 것은 교무실이었다. 내가 그때껏 다녔던 학교의 교무실은 서울에서도 손꼽는 학교답게 넓고 깨끗했다. 선생님들도 한결같이 깔끔하고 활기에 차 있었다. 그런데 겨우 교실 하나 넓이의 그 교무실에는 시골 아저씨들처럼 후줄그레한 선생님들이 맥없이 앉아 담배 연기만 뿜어 대고 있었다.

나를 데리고 교무실로 들어서는 어머니를 알아보고

11

다가오는 담임 선생님도 내 기대와는 너무도 멀었다. 아름답고 상냥한 여선생님까지는 못 돼도 부드럽고 자상한 선생님이 아닐까 생각했는데, 막걸리 방울이 튀어 하얗게 말라붙은 양복 윗도리 소매부터가 영 아니었다. 빗질도 안 해 부스스한 머리에, 그날 아침 세수를 했는지조차 의심스러운 얼굴로 어머님의 말씀을 듣는 둥 마는 둥 하고 있는 그 사람이 담임 선생님이라는 게 솔직히 그렇게 실망스러울 수가 없었다. 그 뒤 일 년에 걸친 악연이 그때 벌써 어떤 예감으로 와 닿았는지 모른다.

그 악연은 잠시 뒤 나를 반 아이들에게 소개할 때부터 모습을 드러냈다.

"새로 전학 온 한병태다. 앞으로 잘 지내도록."

담임 선생님은 그 한마디로 소개를 끝낸 뒤, 나를 뒤쪽 빈자리에 앉게 하고 바로 수업에 들어갔다. 새로 전학 온 아이에 대해 호들갑스럽게 느껴질 정도로 자랑 섞인 소개를 늘어놓던 서울 선생님들의 자상함이 떠오르자, 나는 야속한 느낌이 들었다. 대단한 치켜세움까지는 아니더라도, 최소한 내가 가진 자랑거리는 반 아이들에게 일러 주어, 새로 시작하는 그들과의 관계에 도움이 되기를 나는 바랐다.

그때, 나에게는 내 나름으로 내세울 만한 것이 몇 가지 있었다. 첫째는 공부. 일 등은 그리 자주 못 했지만, 그래도 나는 그 별난 서울의 일류 학교에서도 반에서 다섯 손가락 안에는 들었다. 또, 나는 그림에도 남다른 솜씨가 있었다. 역시 전국의 어린이 미술 대회를 휩쓸었다 할 정도는 아니었어도, 서울시 규모의 대회에서 몇 번이나 특선은 따낼 만했다. 내 성적과 아울러 그 점도 어머니는 몇 번이나 강조하는 듯했는데, 담임 선생님은 그 모두를 깨끗이 무시해 버린 것이었다. 내 아버지의 직업도 경우에 따라서는 내게 힘이 될 만했다. 서울에서 거기까지 내려가기는 했지만, 내 아버지는 그 작은 읍으로 봐서는 몇 손가락 안에 들 만큼 꽤 높은 공무원이었다.

　야속스럽기는 아이들도 담임 선생님과 마찬가지였다. 서울에서는 새로 전학 온 아이가 반에 들어오면, 아이들은 쉬는 시간이 되기 바쁘게 그를 빙 둘러싸고 이것저것 묻게 마련이었다. 공부는 잘하는가, 힘은 센가, 집은 잘사는가 따위로 말하자면 나중 그 아이와 맺게 될 관계의 기초 자료를 모으는 셈이었다. 그런데 그 새로운 반 친구들은 새로운 담임 선생님과 마찬가지로 그런 쪽으로는 별로 관심이 없었다. 쉬는 시간에는 저만치서 흘끗흘끗 훔쳐보기만 하다가, 점심시간이 되어서야 몇 명 몰려와 묻는다는 게 고작 전차를 타 봤는가, 숭례문을 보았는가 따위였고, 부러워하거나 감탄한다는 것도 기껏 나만이 가진 고급 학용품 따위였다.

하지만, 그 전학 첫날을 생생하게 기억하도록 만든 것은 아무래도 엄석대와의 만남이 될 것이다.

"모두 저리 비켜!"

아이들이 나를 둘러싸고 앞서 말한 그런 실없는 것들이나 묻고 있는데, 문득 그들 등 뒤에서 나지막한 소리가 들려왔다. 아이들의 목소리를 잘 모르는 나에게는 담임 선생님이 돌아온 것이나 아닐까 하는 생각이 들 만큼 어른스러운 목소리였다. 아이들이 움찔하며 물러서는데 나까지 놀라 돌아보니, 가운데 줄 맨 뒤쪽에 한 아이가 버티고 앉아 우리 쪽을 지그시 바라보고 있었다.

아직 같은 반이 된 지 한 시간밖에 안 됐지만, 그 아이만은 나도 알아볼 수 있었다. 담임 선생님과 내가 처음 교실로 들어왔을 때, '차려', '경례'를 소리친 것으로 보아 반장인 듯한 아이였다. 그러나 내가 그를 엇비슷한 아이들 가운데서 금방 구별해 낼 수 있었던 것은, 그가 다른 아이들보다 머리통 하나는 더 있어 뵐 만큼 앉은키가 크고 눈빛이 쏘는 듯했기 때문이었다.

"한병태랬지? 이리 와 봐."

그가 좀 전과 똑같은, 나지막하지만 힘 실린 목소리로
말했다. 손끝 하나 까딱하지 않았으나, 나는 하마터면
일어날 뻔했다. 그만큼 그의 눈빛은 이상한 힘으로 나를
끌었다.

하지만, 나는 서울 아이다운 영악함으로 마음을 다잡아
먹었다.

'이게 첫 싸움이다.'

나는 버티는 데까지 버텨 볼 작정이었다. 처음부터
호락호락해 보여서는 앞으로 지내기가 어려워진다는 나
나름의 계산도 있었지만, 다른 아이들의 까닭 모를, 거의
절대적인 복종을 보자 야릇한 오기가 생긴 탓이기도 했다.

"왜 그래?"

내가 아랫도리에 힘을 주며 깐깐하게 묻자, 그가 피식
웃었다.

"물어볼 게 있어."

"물어볼 게 있다면 네가 이리로 와."

"뭐?"

순간, 그의 눈꼬리가 치켜 올라가는 것 같더니, 이내
별소리 다 듣는다는 듯 다시 피식 웃었다. 그런 다음, 더는
입을 열지 않고 나를 가만히 보았는데, 그 눈길이 너무도
쏘는 듯해 맞받기가 몹시 어려웠다. 하지만, 이미 벌어진

일이었다. 이것도 싸움이다 싶어 안간힘을 다해 버티고 있는데, 그 아이 곁에 앉아 있던 키 큰 아이 둘이 일어나 내게로 왔다.

"일어나, 인마."

둘 다 금세 덤벼들기라도 할 듯 성난 기색이었다. 아무리 생각을 해 봐도 힘으로는 어느 쪽도 당해 내기 어려울 것 같은 녀석들이었다. 나는 얼결에 벌떡 일어났다. 그중의 하나가 내 옷깃을 거칠게 잡으며 소리쳤다.

"인마, 엄석대가 오라고 하잖아? 반장 말이 우습게 들려?"

내가 엄석대란 이름을 들은 건 그때가 처음이었다.

그 이름을 듣는 순간, 그대로 내 기억에 새겨졌는데, 아마도 그것은 그 이름을 말하는 아이의 말투가 유별났기 때문일지도 몰랐다. 무언가 대단히 높고 귀한 사람의 이름을 부르고 있다는, 그래서 당연히 존경과 복종을 바쳐야 한다는 그런 느낌을 주는 것이었다.

그게 다시 나를 까닭 모르게 움츠러들게 했지만, 그래도 물러설 수는 없었다. 수많은 눈초리가 나를 지켜보고 있는 까닭이었다.

"너희들은 뭐야?"

"나는 체육부장이고, 쟤는 미화부장이다."

"그런데 너희가 왜……."

"엄석대가, 반장이 와 보라고 하잖아!"

내가 그에게 가서 대령해야 되는 유일한 이유가 그가 엄석대이고 반장이기 때문이란 걸 두 번이나 되풀이 듣게 되자, 비로소 나는 심상찮은 느낌이 들었다.

그때껏 서울에서 내가 보아 왔던 반장들은 하나같이 힘과는 거리가 멀었다. 집안이 넉넉하거나 운동을 잘해 거기서 얻은 인기로 반장이 되는 수도 있었으나, 대개는 성적순으로 반장, 부반장이 결정되었고, 그 역할도 반장이라는 명예를 빼면 우리와 선생님 사이의 심부름꾼에 가까웠다. 드물게 힘까지 센 아이가 있어도, 그걸로 아이들을 억누르거나 부리려고 드는 법은 거의 없었다. 다음 선거가 있을 뿐만 아니라, 아이들도 그런 걸 참아 주지 않는 까닭이었다. 그런데 나는 그날 전혀 새로운 성질의 반장을 만나게 된 것이었다.

"반장이 부르면 다야? 반장이 부르면 언제든 달려가서 대령해야 하느냐고?"

그래도 나는 사내다운 꿋꿋함으로 마지막 저항을 해 보았다.

그때 알 수 없는 일이 벌어졌다. 그 말이 떨어지자

마자, 구경하고 있던 아이들이 갑자기 큰 소리로 웃어 댔다. 내가 무슨 바보 같은 소리를 했다는 듯, 그때껏 나를 을러 대던 두 녀석과 엄석대까지를 포함한 많은 아이들 모두가 입을 크게 벌리고 떠들썩하게 웃어 댔다. 나는 어리둥절했다. 겨우 정신을 가다듬어, 내가 한 말 어디가 그들을 그토록 웃게 만들었는지를 생각해 보고 있는데, 미화부장이라는 녀석이 웃음을 참으며 물었다.

"그럼, 반장이 부르는데 안 가? 어디 학교야? 어디서 왔어? 너희 반에는 반장도 없었어?"

그런데 그 무슨 어이없는 생각의 변화였을까? 나는 문득 무엇인가 큰 잘못을 하고 있다는 느낌, 특히 담임 선생님이 부르시는데 뻗대고 있었던 것과 흡사한 착각이 일어났다. 어쩌면 그때까지도 멈춰지지 않고 있던 아이들의 와자한 웃음에 기가 죽어, 그게 굴욕적인 복종인 줄 알면서도 석대의 말을 따랐는지도 모를 일이었다.

내가 머뭇머뭇 그에게 다가가자, 엄석대는 그동안의 웃음을 그치고 웃는 얼굴로 바꾸며 물었다.

"나한테 잠깐 오기가 그렇게도 힘들어?"

목소리도 전과 달리, 정이 뚝뚝 묻어나는 듯했다. 나는 그 너그러움에 하마터면 감격해 펄쩍 뛰며 머리를 저을 뻔했다. 아까보다는 다소 덜하기는 했어도, 아직은 나를

강하게 지배하고 있는 어떤 거부감이 겨우 그런 자존심
상하는 짓거리를 막아 주었다.

　엄석대는 확실히 놀라운 아이였다. 그는 잠깐 동안에
내가 그에게 억지로 끌려갔다는 느낌을 깨끗이 씻어
주었을 뿐 아니라, 내가 담임 선생님에게 품었던
야속함까지도 풀어 주었다.

　"서울 무슨 학교랬지? 얼마나 커? 물론 우리 학교와는

댈 수 없을 만큼 좋겠지?"

　먼저 그렇게 물어 주어, 엄청나게 많은 학생 수와 오랜 전통이 있으며, 서울에서도 공부 잘하기로 소문난, 내가 다니던 학교를 자랑할 수 있게 해 주었고,

　"공부는 어땠어? 거기서 몇 등이나 했지? 다른 건 뭘 잘해?"

　그렇게 물어 줌으로써 내가 4학년 때 국어 과목에서

우등상을 탄 것이며(그때, 이미 그 학교는 과목별로 우등상을 주었다.), 또한 그 전해 가을 경복궁에서 열린 어린이 미술 대회에서 특선한 걸 자연스럽게 자랑할 수 있도록 해 주었다.

그것만이 아니었다. 마치 내 마음속을 읽기나 한 듯 석대는 내 아버지의 직업과 우리 집안의 살림살이도 물어 주었다. 그 덕분에 나는 또한 특별히 내세운다는 느낌을 아이들에게 주지 않고도 군청에서 군수 다음가는 자리에 있는 내 아버지와 우리 집안의 넉넉함을 아이들 앞에 드러낼 수 있었다.

"좋오아. 그럼……."

이런저런 얘기를 다 듣고 난 엄석대는 어른처럼 팔짱을 끼고 무언가를 생각하는 눈치더니, 제 줄 앞의 자리를 가리키며 말했다.

"너는 저기 앉도록 해. 저기가 네 자리야."

그 갑작스러운 지시에 나는 약간 정신이 들었다.

"선생님이 저기 앉으라고 하셨는데……."

문득 되살아나는 서울에서의 기억으로 그렇게 대꾸했지만, 얼마 전의 투지는 되살아나지 않았다. 엄석대는 내 말은 못 들은 척 넘어갔다.

"어이, 김영수, 여기 이 한병태와 자리 바꿔."

석대가 그 자리에 앉았던 아이에게 그렇게 말하자, 그 아이는 두말하지 않고 책가방을 챙겼다. 그 아이의 철저한 복종이 다시 묘한 힘으로 나를 몰아, 잠시 머뭇거린 것으로 저항을 마치고 나도 자리를 옮겼다.

하지만, 참으로 알 수 없는 일은 그날만 해도 두 번이나 더 있었다.

한 번은 바로 점심시간 때였다. 석대와 나의 대화가 끝난 뒤에 석대가 도시락을 책상 위로 올려놓자, 아이들도 모두 도시락을 펼치기 시작했는데, 그중 대여섯 명이 무엇인가를 들고 석대에게로 갔다. 그 애들이 석대의 책상 위에 내려놓는 걸 보니 찐 고구마와 달걀, 볶은 땅콩, 사과 같은 것들이었다. 뒤이어 맨 앞줄의 아이 하나가 컵에 물을 떠다 공손히 놓는 것까지 모두가 소풍 갔을 때 담임 선생님께 하듯 했다. 그런데 석대는 고맙다는 말 한 마디 없이 자연스럽게 그것들을 받았다. 기껏해야 달걀을 가져온 아이에게 빙긋 웃어 준 게 전부였다.

또 한 번은, 쉬는 시간에 내 옆 분단의 두 아이가 무슨 일인가로 싸워 한 아이가 코피가 난 때였다. 구경하던 아이들은 모든 걸 제쳐 놓고 먼저 석대부터 찾았다. 마치 서울 아이들이 무슨 큰일을 당했을 때 먼저 선생님부터 찾는 것과 비슷했고, 얼마 뒤 불려 온 석대가 한 일도 선생님과 크게 다르지 않았다. 코피가 난 아이는 구급상자에서 꺼낸 솜으로 코를 막은 다음 고개를 뒤로 젖혀 기대 있게 했고, 코피를 나게 한 아이는 몇 대 쥐어박은 뒤 교단 위에 팔을 들고 꿇어앉아 있게 했다. 두 아이 모두 신통하리만치 고분고분 석대의 말을 따랐는데, 더 이상한 것은 다음 시간 수업에 들어온 담임 선생님이었다. 석대의 보고를 가만히 듣고 있다가 막대기로 벌서고 있는 아이의 손바닥을 몇 차례 호되게 때려 줌으로써 석대의 처리를 그 어떤 말보다도 확실하게 인정해 주었던 것이다.

그날, 내가 다시 그 새로운 환경과 질서에 대해 곰곰이 생각하기 시작한 것은 수업이 끝나고 집으로 돌아온 뒤였다. 갑자기 마주치게 된 생소한 환경과, 또한 갑자기 나를 억눌러 오는 그 새로운 질서의 위압감이 내 머릿속을 온통 짙은 안개 같은 것으로 채워 몽롱하게 만들어 버린 탓에 아무것도 생각할 수가 없었던 것이다.

열두 살은 아직도 아이의 단순함에 지배되기 쉬운 나이지만, 그리고 아직은 생생한 낮의 기억들 때문에 머릿속이 혼란스러웠지만, 나는 아무래도 그 새로운 환경과 질서를 그대로 받아들일 수는 없을 것 같았다. 그러기에는 그때껏 내가 옳다고 배워 온 것들(어른들식으로 말하면 '합리와 자유')에 너무도 그것들이 어긋나기 때문이었다. 아직은 제대로 겪어 보지 못했으나, 그 새로운 질서와 환경들을 받아들이고 나면, 불합리한 일들과 또 다른 폭력이 반드시 기다리고 있을 것 같았다.

하지만, 싸운다는 것도 실은 막막하기 그지없었다. 먼저 어디서부터 시작해야 할지, 누구와 싸워야 할지, 무엇을 놓고 어떻게 싸워야 할지가 그러했다. 뚜렷한 것은 다만 무엇인가 잘못되어 있다는 것뿐이었다. 다시 한 번 어른들식으로 표현한다면, 불합리와 폭력에 기초한 어떤 거대한 불의가 존재한다는 확신뿐, 거기에 대한 구체적인 이해와 대응은 그때의 내게는 아직 무리였다. 솔직히 털어놓으면, 마흔이 다 된 지금도 그런 일에는 자신을 갖지 못하고 있다.

형이 없는 내가 아버지에게 엄석대 이야기를 하게 된 것도 그런 막막함 때문이었을 것이다. 나는 먼저 그날 내가 겪고 본 엄석대의 짓거리를 얘기한 뒤, 앞으로 내가 어떻게 해야 할 것인가를 아버지에게 물으려 했다. 아버지의 반응은 뜻밖이었다. 엄석대가 그날 한 일들을 겨우 모두 얘기한 내가 막 충고를 바라는 물음을 던지려는데, 아버지가 불쑥 감탄 섞인 어조로 말했다.

"거참 대단한 아이로구나. 엄석대라고 그랬지? 벌써 그만하다면, 나중에 인물이 돼도 큰 인물이 되겠다."

　도무지 불의라는 것 자체를 인정하지 않는 것 같은 말이었다. 후끈 단 나는 합리적으로 선거가 치러지고, 우리의 자유를 제한한 적이 없던 서울의 반장 제도를 얘기했던 것 같다. 그러나 아버지는 그 합리와 자유에 대한 내 애착을 나약하기 때문이라고 이해하시는 것 같았다.

　"약해 빠진 놈. 너는 왜 언제나 걔를 뺀 나머지 아이들 속에만 있으려고 해? 어째서 너 자신은 반장이 될 수 없다고 믿어? 만약 네가 반장이 되었다고 생각해 봐. 그보다 더 멋진 반장 노릇이 어디 있겠어?"

　그러고는 반 아이들이 겪고 있는 불행한 상태나 그런 상태를 만들어 낸 제도, 또한 그 제도의 그릇된 운용에 화낼 것 없이, 엄석대가 차지하고 있는 반장 자리를 노려 보도록 권하는 것이었다.

　가엾으신 어른. 이제니까 나는 당신을 이해할 듯도 하다. 그때, 당신은 중앙의 좋은 자리에 있다가 시골 군청의 총무과장으로 밀려나 굴욕과 무력감을 짓씹고 계실 때였다. 새로 부임한 장관이 순시할 때, 달려나가 마중하지 않고 자기 일만 보고 있었다고, 과잉 충성하는

직속 국장에게 찍혀 그리된 만큼, 힘에 대한 갈증은 그 어느 때보다 크셨을 것이다. 어렸을 적에는 내가 똑똑한 것과 밖에 나가 다른 아이를 때리고 돌아오는 것을 가끔 혼동하던 어머니를 늘상 호되게 나무라곤 하시던 그런 합리적인 분이셨는데…….

하지만, 그 같은 내막을 알 길 없던 그때의 나는, 그저 아버지의 그런 돌변이 어리둥절할 뿐이었다. 학교 선생님 다음으로 나에게 큰 영향을 줄 수 있는 아버지가 그렇게 나오는 바람에 더욱 혼란스러웠다. 나는 내가 싸우는 데 필요한 방책을 듣기는커녕, 그 싸움이 필요한가 아닌가를 판단하는 불의의 존재 자체마저 헷갈리게 되어 버린 셈이었다.

그럼에도 불구하고 나는 그런 충고를 제법 귀담아 들었던 듯싶다.

다음 날, 나는 등교하자마자 그 가능성을 살펴보기 시작했는데, 그러나 그 충고는 현실적으로 아무런 쓸모가 없었다. 우선 반장 선거는 한 학기에 한 번 하는 서울과는 달리 거기서는 그 이듬해 봄에야 있을 거라는 얘기였고, 또 그때에는 반이 어떻게 갈릴지 알 수 없어 준비를 해 보았자, 갑자기 흘러들어 온 내가 이길 가능성은 거의 없었다. 설령 이길 수 있다 해도, 그동안을 다른 아이들과

같이 굴욕에 시달릴 일이 꿈같았으며, 게다가 엄석대도
내가 느긋이 다음 해를 준비하도록 기다려 주지 않을
것이다.

비록 나의 굴복으로 끝나기는 했으나, 전학 첫날의
그 작은 충돌은 엄석대에게 꽤 강한 인상과 더불어 어떤
경계심을 일으켰음에 틀림없었다. 그는 첫날의 승리가
못 미더웠던지, 다음 날 한 번 더 그걸 확인하려
들었다. 역시 점심시간의 일이었다.
내가 바쁘게 도시락 뚜껑을
여는데, 앞줄에 앉은 아이가
나를 돌아보며 말했다.

"오늘은 네가 물당번이야.
엄석대가 먹을 물 떠다 주고
와서 밥 먹어."

"뭐라고?"

나는 자신도 모르게 목소리를 높였다. 그 애는 찔끔하며
석대 쪽을 보더니 빈정거리듯 내 말을 받았다.

"너 귀먹었어? 반장이 목 메지 않도록 물 한 컵 갖다
주란 말이야. 오늘은 네가 당번이니깐."

"그 당번 누가 정했어? 어째서 우리가 반장에게 물을
떠다 바쳐야 하느냔 말이야? 반장이 뭐 선생님이야?

반장은 손도 발도 없어?"

나는 더욱 화가 나 소리치듯 그렇게 따졌다. 그도 그럴
것이 서울에서라면 그 따위 심부름은 참을 수 없는 모욕에
속했다. 욕설을 퍼붓지 않는 것만으로도 내 딴에는 많이
참은 셈이었다. 그런 내 서슬에 그 아이가 다시 주춤할
때였다. 문득 등 뒤에서 귀에 익은 엄석대의 목소리가
나를 위압하듯 들려 왔다.

"어이, 한병태. 잔소리 말고 물 한 컵 떠 와."

"싫어, 난 못 해!"

나는 그 또한 매몰차게 거절했다. 이미 약이 오를 대로
오른 내 눈에는 엄석대조차 보이지 않았다. 그러자
엄석대는 거칠게 도시락 뚜껑을 닫고는 험한 얼굴로 내게
다가왔다.

"요 자식 요거, 쬐끄만 게 안 되겠어."

석대는 눈을 부라리며 그렇게 을러 대더니, 주먹까지
쳐들며 소리쳤다.

"어서 일어나! 가서 물 떠 오지 못해?"

그는 힘으로라도 나를 굴복시키려고 마음을 굳힌
듯했다. 금세라도 큰 주먹을 내지를 것 같은 그 무서운
기세에 그제서야 덜컥 겁이 난 나는 얼른 몸을 일으켰다.
그러나 아무래도 그 심부름만은 할 수 없어 잠깐

30

멈칫거리고 있는데, 문득 좋은 생각이 떠올랐다.

"좋아. 그럼 먼저 담임 선생님께 물어보고 떠 주지. 반장이면 한 반 아이라도 물을 떠다 바쳐야 하는지 말이야."

나는 그렇게 말하고 성큼성큼 걸었다. 그가 담임 선생님에게 잘 보이려고 애쓰는 눈치를 알아차리고 걸어 본 승부였다. 나 스스로도 놀랄 만한 효과가 있었다.

"서!"

내가 몇 발자국 떼 놓기도 전에 석대가 빽 소리를 질렀다. 그리고 이어 으르렁거리듯 덧붙였다.

"알았어. 그만둬. 너 같은 새끼 물 안 먹어도 돼."

얼핏 보면 나의 한바탕 멋진 승리였다. 하지만, 실은 그것이야말로 그 뒤 반 년이나 이어 갈 내 외롭고 고달픈 싸움의 시작이었다.

사실, 그 전 일 년을 거의 아무에게도 저항받지 않고 그 반을 지배해 온 석대에게는 그런 내가 얄밉고도 분했을 것이다. 그날의 내 행동은 단순한 저항을 넘어 중대한 도전으로 보이기조차 했을 것이다. 더군다나 그는 마음만 먹으면 얼마든지 나를 혼내 줄 힘도 이쪽저쪽으로 넉넉했다. 반장으로서 담임 선생님으로부터 위임받은 합법적인 권한과 전 학년을 통틀어 가장 센 주먹이 그것이었다.

　그러나 그는 성급하게 주먹을 휘두르기는커녕
직접적으로는 적의조차 드러내지 않았다. 숙제 검사나
청소 검사같이 담임 선생님으로부터 물려받은 권한을
행사할 때에도 그걸 내세워 나를 불리하게 만드는 법은
없었다. 지금 와서 돌이켜 봐도 으스스할 만큼 아이답지
않은 침착성과 치밀함이었다.

　나에 대한 박해와 불이익은 항상 그에게서 멀찌감치
떨어진 곳에서 왔다. 대수롭지 않은 일로 싸움을 거는
것도 석대와는 전혀 가까워 뵈지 않는 아이였고,
반 아이들이 떼 지어 나를 곯리거나 놀려 대는 것도 언제나
석대가 없을 때였다. 아이들이 까닭 없이 적의를 보이며
놀이에 나를 끼워 주지 않는 것도, 저희끼리 모여
무언가를 재미있게 떠들다가 내가 다가가면 굳은 얼굴로
입을 다물어 버리는 것도 마찬가지였다. 틀림없이
그 원인은 석대에게 있는 것 같은데도, 그는 그 근처
어디에서도 눈에 띄지 않았다. 어른들에게는 별것 아니게
보일 테지만 아이들에게는 중요하기 짝이 없는 정보,
이를테면 어떤 공터에 약장수가 자리 잡았고, 어디에

서커스단이 천막을 쳤으며, 공설 운동장에서는 언제
소싸움이 벌어지고, 강변에서는 언제 문화원의 공짜
영화가 상연되는가 등등의 소식에서도 나는 언제나
따돌림당했는데, 그것도 겉으로는 석대와 무관했다.

　오히려 석대 자신이 내게 다가오는 것은 대개 구원자나
해결자로서일 때가 많았다. 맞서 싸우기에는 아무래도
자신이 서지 않는 아이로부터 시비가 걸려 진땀을 빼고
있을 때 나타나 말려 주는 것도 석대였고, 외톨이로
돌다가 겨우 아이들과의 놀이에 끼어들 수 있게 되는 것도
석대가 거기 있어 가능했다.

　그러나 석대의 침착함이나 치밀성에 못지않은 게 그런
면에 대한 내 예민한 감각이었다. 나는 진작부터 아이들의
괴롭힘과 석대의 구원 사이를 연결하고 있는 보이지 않는
끈을 직감으로 느끼고 있었으며, 결국은 그것이 나를 그의
질서 안으로 끌어들이기 위한 음흉한 술책임도
꿰뚫어 보고 있었다. 따라서, 그가 베푸는 구원이나 해결도
언제나 고마움으로 나를 감격시키기보다는 야릇한
치욕감을 느끼게 했다. 그때마다 내 마음속에서는 한층
더 치열하게 적의가 타올랐으며, 그것은 그 뒤의 길고
힘든 싸움을 견뎌 낼 수 있는 힘이 되어 주었다.

　싸움인 이상 열두 살의 아이가 먼저 생각할 수 있는

승리는 말할 것도 없이 물리적인 힘에 의한 것이었다.
하지만, 석대와의 싸움에서 그쪽은 처음부터 가망이
없었다. 석대의 키는 나보다 머리통 하나는 더 컸고, 힘도
그만큼은 더 세었다. 듣기로는 호적이 잘못되어 우리와
같은 학년에 다닐 뿐, 석대의 나이는 우리보다 적어도
두셋은 많다는 것이었다. 게다가 싸움의 기술도 타고났다
싶을 만큼 남달랐다. 그는 벌써 4학년 때 중학생과 싸워
이긴 적이 있을 만큼 날래고 대담했다.

따라서, 내가 처음 시도한 것은 모두가 그의 편이 되어
있는 반 아이들을 그로부터 떼어 내는 것이었다. 특히,
뒷줄에 앉은, 석대와 비슷한 몸집의 아이들 서넛은, 그들만
떼 내어 힘을 합쳐도 석대를 어떻게 해 볼 수 있으리란
계산에서 내가 가장 공을 들였다. 그러나 그쪽도 내
뜻대로는 되지 않았다. 어머니의 꾸중을 들어 가며
무리하게 타 낸 용돈으로 아이들의 일시적인 환심을 살 수
있었지만, 그들을 석대로부터 떼어 내는 일은 번번이
실패였다. 어느 정도 내게 호감을 보이다가도 석대에 대한
불만을 부추기기만 하면 아이들은 어김없이 긴장으로
굳어졌고, 다음 날부터는 나를 피하기 일쑤였다. 그들은
모두 석대에게 어떤 본능적인 공포 같은 걸 품은 듯했다.

그러나 이제 와서 생각해 보면, 그 실패는 석대의

남다른 통솔력 못지않게 나의 잘못도 큰 원인이 된 듯싶다. 아무리 아이들의 정신 속이라고 해도, 어른들이 지닌 정의와 자유에 대한 열망 같은 부분을 지니고 있었을 것이다. 그런데 나는 내 개인적인 감정과 조급함 때문에 그들을 깨우치거나 설득하는 대신, 눈앞의 이익으로 매수하려고 들었을 뿐이었다.

하지만, 석대와의 싸움에서 가장 결정적인 패배는 내가 은근히 믿었던 공부 쪽에서 왔다. 석대와 싸움을 시작하면서부터 나는 먼저 성적으로 그를 납작하게 만들어 놓으리라고 별러 왔다. 때마침 한 달 뒤에 평가 시험이 있을 예정이어서, 그 기회까지 마련된 셈이었다.

내가 공부 쪽에 자신을 가졌던 데에는 그만한 까닭이 있었다. 서울의 학교와 그 학교의 격차로 보아, 거기서의 일 등은 쉬울 것으로 보인 데다가 내 눈에는 아무래도 석대가 공부하는 아이로는 비치지 않았기 때문이었다.

나는 은근히 날짜까지 손꼽아 가며 시험을 기다렸으나, 결과는 참으로 뜻밖이었다. 놀랍게도 석대는 평균 98.5로 우리 반에서는 물론 전 학년에서 1등이었다. 나는 평균 92.6으로, 우리 반에서 겨우 2등을 차지했지만, 전 학년으로는 10등 바깥이었다. 주먹의 차이만큼은 안 돼도 그쪽 역시 상대가 안 되는 싸움이 되어 버린 것이었다.

그 뚜렷한 결과 앞에서는 이상해도 어쩔 수 없고, 분해도 어쩔 수 없었다.

그런데도 나는 알 수 없는 열정에 휩싸여 그 가망 없는 싸움에 매달렸다. 주먹에서도 편 가르기에서도 공부에서도 가망이 없어진 내가 그다음으로 눈독을 들인 것은 석대의 약점, 특히 아이들을 상대로 하고 있으리라고 확신되는 못된 짓거리였다.

내가 석대의 나쁜 짓을 캐 모으려 한 것은 그것으로 먼저 담임 선생님과 그를 떼어 놓기 위함이었다. 나는 그의 힘 중에서 싸움 솜씨에 못지않게 많은 부분이 담임 선생님의 신임에서 왔다는 걸 알고 있었다. 청소 검사, 숙제 검사에 심지어는 처벌권까지 석대에게 위임하는 담임 선생님의 그 눈먼 신임이 그를 그토록 강력하게 우리 위에 군림하게 했다. 그런 면에서는 나도 제법 날카로운 눈을 가졌던 것 같다.

하지만, 그쪽도 쉽지는 않았다. 교실을 꽉 찍어 누르는 듯한 분위기나 아이들의 어둡고 짓눌린 듯한 표정으로 보아서는 틀림없이 파 보기만 하면 그의 죄상들이 쏟아져 나올 것 같은데도, 도무지 마땅한 게 걸리지 않았다. 그는 분명히 아이들을 때리고 괴롭혔지만, 대개는 담임 선생님이 인정할 만한 꼬투리를 가지고 있었고, 또 대가

없이 아이들의 것을 먹고 썼지만, 그 형식은 언제나
아이들의 자발적인 증여였다.

　오히려 석대를 관찰하면서 더 자주 확인하게 되는 것은
담임 선생님이 그를 신임하지 않을 수 없는 이유들이었다.
그에게 맡겨진 우리 반의 교내 생활은 다른 어느 반보다
모범적이었다. 그의 주먹은 주번 선생님들이나 6학년
선도부원들의 형식적인 단속보다 훨씬 효율적으로 우리
반 아이들의 군것질이나 그 밖의 자질구레한 교칙 위반을
막았다. 그에게 맡겨진 청소 검사는 우리 교실을 그 어떤
교실보다 깨끗하게 하였으며, 우리의 화단을 드러나게
환하게 했다. 또, 그에게 맡겨진 실습 감독은 우리의
실습지에 가장 많은 수확을 안겨 주었으며, 그의 강제
할당으로 우리 반의 비품은 그 어느 반보다 넉넉했고,
특히 교실 벽은 값비싼 액자들로 넘쳐날 정도였다. 그가
이끌고 나가는 운동 팀은 반 대항 경기에서 우리 반에
우승을 안겨 주었고, '돈내기'라는 어른들의 작업 방식을
흉내 낸 그의 작업 지휘는 담임 선생님들이 직접 나서서
아이들을 부리는 반보다 훨씬 더 빨리, 그리고 번듯하게
우리 반에 맡겨진 일을 끝내게 했다. 별로 대단한 건
아니지만, 그가 주먹으로 전 학년을 휘어잡아 적어도 우리
반 아이가 다른 반 아이에게 얻어맞는 일은 없게 된 것도

담임 선생님으로서는 그리 불쾌하지 않았을 것이다.

그럼에도 불구하고, 나는 반란을 꾀할 때의 열정과도 비슷한, 가망이 없을수록 더 치열해지는 비뚤어진 집착으로 그 힘든 싸움을 계속해 나갔다. 눈과 귀를 온통 석대에게만 모아 그의 잘못을 캐내는 일이었다.

지금도 잘 알 수 없는 것은 그런 나에 대한 석대의 반응이었다. 그때는 그럭저럭 전학 간 지 석 달에 가까웠고, 그동안 이런저런 내 바둥거림도 아이들을 통해 그의 귀에 들어갔을 법하건만, 그는 조금도 처음과 달라지지 않았다. 그때까지 버티고 있는 나를 미워하는 기색을 보이기는커녕 초조해하는 눈치조차 없었다. 실로 두어 살의 나이 차이만으로는 설명이 안 되는, 비상하다고밖에 할 수 없는 참을성이었다. 앞서 말한 그 반란의 열정 같은 것이 아니었더라면, 나는 아마도 그쯤에서 그에게 무릎을 꿇고 말았을 것이다.

하지만, 기다리고 기다린 보람이 있어 끝내는 내게도 때가 왔다. 학교 둑길에 아카시아꽃이 하얗게 피었던 걸로 미루어 그해 6월 초순의 어느 날이었다. 윤병조라는 세탁소 집 아이가 신기한 물건을 학교로 가지고 와 교실에서 아이들에게 자랑을 했다. 우리가 '둥글 라이터'라고 부르던 원통형의 금 도금된 고급 라이터였다.

그 라이터가 이 손 저 손으로 옮아 다니며 작은 소동을
일으키고 있는데, 어딘가 잠시 나갔다 돌아온 석대가 그걸
보고 다가가 불쑥 손을 내밀었다.

"어디 봐."

그때껏 낄낄거리기도 하고 감탄의 소리를 내기도 하며
시끌벅적하던 아이들이 금세 조용해지며, 라이터가
석대의 손바닥에 놓였다. 한참을 들여다보던 석대가 표정
없이 병조에게 물었다.

"누구 거냐?"

"울 아버지 거."

병조가 문득 기어 들어가는 목소리로 그렇게 대답했다.
석대도 약간 소리를 낮춰 물었다.

"얻었어?"

"아니, 그냥 가져왔어."

"네가 가져온 걸 누가 알아?"

"내 동생밖에 몰라."

그러자 석대가 희미한 웃음을 머금으며 새삼
그 라이터를 이모저모 뜯어보았다.

"야, 이거 좋은데."

이윽고 석대가 그 라이터를 쥔 채 가만히 윤병조를
바라보며 그렇게 말했다.

진작부터 유심히 그쪽을 바라보고 있던 나는
그 말에 갑자기 긴장이 되었다. 그동안 살펴본 바로는
석대가 방금 한 그 말은 보통 사람들이 쓸 때와 뜻이
달랐다.
　　석대는 아이들이 가진 것 중에 탐나는 물건이 있으면
"야, 그거 좋은데."로 달라는 말을 대신했다. 아이들은
대개 그 말 한 마디에 손에 든 것을 석대에게 넘겼으나,
그래도 버티는 아이가 있으면 다음번 석대의 말은 "그것
좀 빌려줘."였다. 그 말의 본뜻은 "내놔, 인마."쯤 될까.
그리되면 누구도 그걸 내놓지 않고는 못 배겼다. 이렇게
해서 석대는 언제나 아이들로부터 '뺏는' 게 아니라,
'얻을'뿐이었던 것이다. 그렇지만 묵시적 강요라는 개념을
몰랐던 나는 그것을 아무런 흠 없는
증여로만 알아 왔는데, 그날은
그나마 최소한의 그런
형식도 무시될 것
같았다.
　　예상대로 병조는
아무래도

그것만은 안 되겠다는 듯, 울상을
지으면서도 강경하게 말했다.
"이리 줘. 울 아버지 돌아오시기
전에 제자리에 갖다 놔야 돼."

"너희 아버지
어디 가셨는데?"
병조의 내민
손을 본 척 만 척 석대가 다시 은근하게
물었다.
"서울, 낼이면 돌아오셔."
"그래애……."
석대가 그렇게 말꼬리를 끌며 다시 한 번 라이터를
쳐다보다가, 갑자기 무슨 생각이 났는지 흘끗 나 쪽을
돌아보았다. 그가 결정적인 약점을 드러내기를 기대하며
유심히 그쪽을 살펴보고 있던 나는 그의 갑작스러운 눈길에
찔끔했다. 그 눈길 어디엔가 성가시다는 듯하기도 하고,
화난 듯하기도 한 빛이 숨겨져 있어 더욱 그랬는지도 모를
일이었다. 하지만, 그건 그야말로 순간이었다. 석대는
곧 아무렇지 않은 표정으로 라이터를 병조에게 돌려주며
말했다.
"그럼 안 되겠구나. 좀 빌렸으면 했는데……."

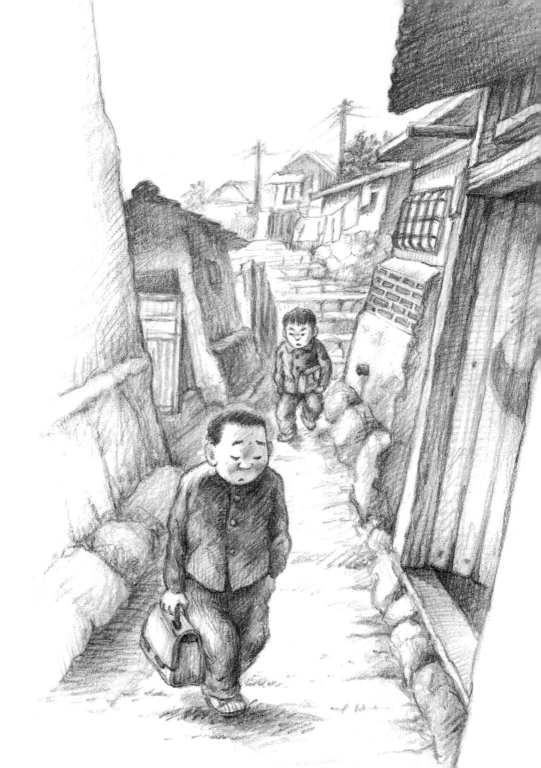

나는 석대가 너무나 쉽게 그 라이터를 포기하는 데 적이
실망했다. 그걸 만지작거리며 들여다보던 석대의 그
끈끈한 눈길은 분명 예사롭지 않은 그의 욕심을 내비치고
있었는데, 간단히 절제하고 돌아설 줄 아는 그가 새삼
두렵기까지 했다.

　그렇지만 결국 그에게도 한계가 있었다. 그날 수업을
끝내고 집으로 돌아가는 길이었다. 병조가 아침과는 달리
걱정 가득한 얼굴로 어깨를 축 늘어뜨린 채, 왁자하게
교문을 나서는 아이들에게서 몇 발자국 떨어져 걷고 있는
게 보였다. 그걸 보자, 나는 대뜸 짚이는 게 있었다.

　마침 사는 동네가 비슷해서 그와 함께 걸어도 괜찮을
듯했지만, 나는 굳이 얼마간 거리를 두고 그를 뒤따랐다.
어디선가 숨어서 보고 있는 것만 같은 석대의 눈을
의식해서였다. 그러다가 아이들이 이 길 저 길 흩어져
제 동네로 가 버리고, 병조만 터덜터덜 걷고 있는 걸
보고서야 나는 걸음을 빨리했다.

　"어이, 윤병조."

　금세 그 곁에 바짝 따라붙은 내가 그렇게 이름을
부르자, 무언가 깊은 생각에 잠겨 느릿느릿 걷고 있던
병조가 화들짝 놀라 돌아보았다.

　"너, 석대에게 라이터 뺏겼지?"

45

나는 틈을 주지 않고 대뜸 그렇게 물었다. 병조가 재빨리 주위를 돌아본 뒤, 풀 죽은 소리로 말했다.

"뺏기지는 않았지만…… 빌려줬어."

"그게 바로 뺏긴 거 아냐? 더구나 너희 아버지가 내일 돌아오신다며?"

"동생보고 아무 말 못 하게 하지 뭐."

"그럼, 넌 아버지의 라이터를 훔쳐 석대에게 바치겠단 말이니? 너희 아버지가 그 귀한 걸 잃어버리고 가만 있을까?"

그러자 병조의 얼굴이 한층 어둡게 일그러졌다.

"실은 나도 그게 걱정이야. 그 라이터는 일본에 계신 삼촌이 아버지께 선물로 주신 거거든."

이윽고 병조는 그렇게 털어놓았으나, 이어 아이답지 않은 한숨을 푹 내쉬며 덧붙였다.

"그렇지만 어떻게 해? 석대가 달라는데."

"빌려준 거라며? 빌려줬음 돌려받으면 되잖아?"

나는 병조의 그 어이없는 체념이 밉살스러워 그렇게 빈정거려 보았다. 그러나 녀석은 제 걱정에 빠져 내가 빈정거리고 있다는 것조차 느끼지 못하고 곧이곧대로 내 말을 받았다.

"안 돌려줄 거야."

"그래? 그럼, 그게 어디 빌려준 거야? 뺏긴 거지."

"……."

"그러지 말고, 차라리 선생님께 이르지 그래? 아버지한테 혼나는 것보다는 낫잖아?"

"그건 안 돼!"

병조의 목소리가 갑자기 높아졌다. 고개까지 세차게 흔드는 게 여간 강경하지 않았다. 그곳 아이들의 심리 중에서 아무래도 내가 잘 알 수 없는 부분에 나는 다시 부딪히게 된 것이었다.

"석대가 그렇게 무서워?"

나는 이번에야말로 그걸 확실하게 알아낼 기회라 생각하고, 슬쩍 녀석의 자존심부터 건드려 보았다.

소용없는 일이었다. 눈은 갑작스러운 굴욕감으로 새파란 불길까지 이는 듯했지만, 대답은 단호하기 그지없었다.

"넌 몰라. 모르면 가만히 있어."

그렇지만 소득이 전혀 없었던 것은 아니었다. 나는 그 말을 끝으로 조개처럼 입을 다물고 걷기만 하는 그를 뒤따라가며 부추겨, 적어도 그가 그 라이터를 석대에게 준 것이 아니라 빼앗긴 것이라는 사실만은 명백히 하게 했다. 실은 그거야말로 석대의 비행에 대한 증거를 찾고 있던 내게는 더할 나위 없이 좋은 기회였다.

다음 날 아침, 나는 학교에 가기 바쁘게 교무실로 담임 선생님을 찾아갔다. 그리고 별로 비겁한 짓을 하고 있다는 느낌 없이 윤병조의 일을 일러바쳤고, 그동안 내가 보고 들은 그 비슷한 사례들을 모조리 얘기했다. 서울에서 온 아이의 똑똑함을 여지없이 보여 준 셈이었지만, 담임 선생님의 반응은 뜻밖이었다.

"무슨 소리야? 너 분명히 알고 하는 말이야?"

그렇게 묻는 담임 선생님의 표정에서 내가 먼저 읽을 수 있었던 것은 귀찮음이었다. 나는 그게 안타까워 그때까지는 짐작일 뿐인 석대의 다른 잘못들까지 늘어놓기 시작했다. 그러나 담임 선생님은 귀담아들으려고도 하지 않고, 짜증난 목소리로 나를 쫓아냈다.

"알았어. 돌아가. 내 이따가 알아보지."

나는 그런 담임 선생님의 반응이 못 미덥긴 했지만, 어쨌든 조사해 보겠다는 말에 한 가닥 기대를 가지고 수업 시작을 기다렸다. 그런데 조회 시간이 얼마 남지 않은 자습 시간의 일이었다. 급사 아이가 뒷문께로 와 석대를 손짓해 부르더니, 무언가를 작은 소리로 일러 주었다. 2년 전에 그 학교를 졸업하고 급사로 일하고 있는 아이였는데, 그를 보자 나는 갑자기 불안해졌다. 내가 담임 선생님께 석대의 잘못들을 일러바칠 때, 그가 멀지 않은 등사기

앞에서 무언가를 등사하고 있던 게 떠올랐기 때문이었다.

아니나 다를까, 제자리로 돌아온 석대는 잠깐 무언가를 생각하다가 주머니에서 라이터를 꺼내 들고 윤병조 앞으로 갔다.

"너희 아버지 오늘 돌아오신댔지? 자, 이거 아버지께 돌려드려."

그렇게 말하며 라이터를 병조에게 돌려준 석대는 이어 한층 소리를 높여 덧붙였다.

"혹시 잘못해 불이라도 낼까 봐 내가 잠시 맡아 뒀지. 애들은 그런 거 가지고 노는 게 아니야."

반 아이들이 다 들을 수 있을 만큼 큰 소리였다. 처음에는 어리둥절해하던 병조의 얼굴이 이내 활짝 펴졌다.

담임 선생님이 여느 때보다 굳은 얼굴로 교실로 들어선 것은 그로부터 채 5분도 안 돼서였다.

"엄석대."

담임 선생님은 교탁에 올라서기 바쁘게 엄석대를 불렀다. 그리고 태연한 얼굴로 대답과 함께 일어난 그에게 손을 내밀며 말했다.

"라이터 이리 가져와."

"네?"

"윤병조 아버님 것 말이야."

그러자 엄석대는 안색 하나 변함 없이 대꾸했다.

"벌써 윤병조에게 돌려줬습니다. 혹시 불장난이라도 할까 봐 맡아 두었다가."

"뭐라구?"

담임 선생님이 흘끗 나를 쏘아보더니, 그래도 확인을 위해 다시 윤병조를 불렀다.

"엄석대 말이 맞아? 라이터 어딨어?"

"옛, 여기 있습니다."

윤병조가 얼른 그렇게 대답했다. 나는 그 말에 그저 아뜩했다. 어디서부터 어떻게 돌변한 그 상황을 설명해야 될지 몰라 멍청해 있는데, 담임 선생님이 내 이름을 부르는 소리가 들렸다.

"어떻게 된 거야?"

담임 선생님은 이미 묻고 있다기보다는 나무라는 투였다.

"아침에 돌려줬습니다. 조금 전에……."

나는 펄쩍 뛰듯 일어나 그렇게 소리쳤다. 선생님이 나를 믿지 않고 있다고 생각하자, 나도 모르게 목소리가 떨렸다.

"시끄러워. 아무것도 아닌 걸 가지고……."

담임 선생님이 그렇게 내 말을 끊었다. 그 바람에 나는 급사 아이가 와서 석대에게 알려 줬다는 중요한 말을 덧붙일 수 없었다. 하기야 급사 아이가 석대에게 꼭 그 말을 일러 주었다는 증거도 없었지만.

그때, 담임 선생님이 다시 나를 버려두고 반 아이 모두를 향해 물었다.

"엄석대가 너희들을 괴롭힌다는데, 정말이야? 너희들 중 그런 일 당한 적 없어?"

말이 났으니 짚고 넘어가자는 투였다. 아이들의 얼굴이 순간 묘하게 굳었다. 그걸 본 담임 선생님은 이번에는 제법 신경을 써 주는 척 목소리를 부드럽게 해 물었다.

"여기서는 무슨 말을 해도 괜찮다. 엄석대를 겁낼 건 없어. 말해 봐, 어디. 무얼 빼앗기거나 잘못 없이 얻어맞은 사람, 누구든 좋아."

하지만, 손을 들거나 일어나는 아이는커녕 그럴까 망설이는 아이도 보이지 않았다. 이상한 안도감 같은 걸 내비치며 한동안 그런 아이들을 살펴보던 담임 선생님이 한 번 더 물었다.

"아무도 없어? 들리기에는 적잖은 모양이던데."

"없습니다."

석대 곁에 있는 아이들 몇을 중심으로 반 아이들의 절반

가량이 얼른 그렇게 소리쳤다. 담임 선생님이 한층 더
밝아진 얼굴로 다짐받듯 물음을 되풀이했다.

"정말이야? 정말로 그런 일 없어?"

"예에 — 없습니다아 — "

이번에는 나와 석대를 뺀 아이들 전체가 목청껏
소리쳤다.

"알았어, 그럼 조회 시작한다."

담임 선생님은 처음부터 그런 결과를 짐작했다는 듯,
그렇게 일을 매듭짓고 출석부를 폈다. 나를 여럿 앞에
불러내 꾸중하지 않는 게 오히려 다행이다 싶을 만큼
석대와 아이들 쪽만을 믿어 버리는 것이었다.

뒤이어 수업이 시작되었지만,
그 어이없는 역전에 망연해
있는 내 귀에 담임 선생님의
말소리가 들어올 리 없었다.
다만, 전에 없이
의기양양해져 선생님의
질문마다 도맡아 대답하고
있는 석대의 목소리만이
이상한 웅웅거림으로
머릿속을 울려 왔다. 그러다가

겨우 담임 선생님의 말소리를 알아듣게 된 것은 첫 시간 수업이 끝난 뒤였다.

"한병태, 잠깐 교무실로 와."

담임 선생님은 애써 평온한 표정을 지으며 그렇게 말하고 나갔으나, 뒷모습은 어딘가 성나 있는 듯했다. 나는 기계적으로 자리에서 일어나 그 뒤를 따랐다.

"자식, 알고 보니 순 고자질쟁이로구나."

누군가의 적의에 찬 말이 후비듯 내 고막을 파고 들었다.

"남의 잘못을 윗사람에게 일러바치는 것은 좋지 못한 짓이다. 거기다가 너는 거짓말까지 했어."

담임 선생님은 화를 삭이느라 거푸 담배를 빨아들이고 있다가 내가 들어가자 그렇게 나무랐다. 그리고 내가 하도 기가 막혀 얼른 대꾸하지 못하는 걸 스스로의 잘못을 인정하는 것으로 알았는지, 한마디 덧붙였다.

"네가 서울에서 오고 공부도 잘한다기에 기대했는데, 솔직히 실망했다. 나는 2년째 이 반 담임을 맡아 왔지만, 아직까지 이런 일이 없었어. 순진한 아이들이 너를 닮을까 겁난다."

그렇잖아도 교실을 나올 때 들은 적의에 찬 빈정거림으로 은근히 악에 받쳐 있던 나는 담임 선생님의 그 같은 단정적인 말에 하마터면 고함이라도 지를 뻔했다.
하지만, 갑작스러운 위기 의식이 오히려 그런 앞뒤 없는
흥분에서 나를 건져 냈다.

'어떻게든 이 일을 바로잡지 못하면 이제는 정말로
끝장이다.'

그런 절박함에 사로잡혀 나는 거의 필사적으로 정신을
가다듬었다.

"제가 선생님께 말씀드린 걸 급사가 석대에게 일러
주었습니다. 석대는 그 말을 듣고, 바로 선생님께서
들어오기 직전에……."

내가 겨우 교실에서 못 했던 그 말을 생각해 내고
그렇게 더듬거렸다.

"그럼, 아이들은 어찌 된 거야? 모두가 입을 모아 그런
일은 없다고 했잖아?"

선생님은 그래도 못 믿겠다는 투로 그렇게 나를
몰아세웠다. 하지만, 이미 말한 대로 나도 필사적이었다.

"아이들이 엄석대를 겁내 그렇습니다."

"나도 그럴지도 모른다고 생각해서 두 번 세 번 물어
보았어."

"그렇지만 엄석대가 보고 있는 데서……."

"그럼, 아이들이 나보다 엄석대를 더 겁낸단 말이지?"

그때, 내 머릿속이 번쩍하듯, 한 가지 좋은 생각이
떠올랐다.

"엄석대가 없는 곳에서 하나씩 불러 물어보시거나,
자기 이름을 밝히지 말고 적어 내게 해 보십시오. 그러면
틀림없이 엄석대가 한 나쁜 일들이 쏟아져 나올
것입니다."

나는 확신에 차서 소리지르듯 말했다. 곁에 있던 다른
선생님들이 이상하다는 눈길로 나와 담임 선생님을
흘끗흘끗 훔쳐보았다.

내가 확신에 차게 된 것은, 서울에 있을 때 선생님들이
종종 그 방법을 써서 도저히 해결할 수 없는 문제들까지
해결하는 걸 보았기 때문이었다. 이를테면, 언제 어디서
잃어버렸는지 모르는 물건까지 그 방법으로 찾아내곤
했다.

"이제는 반 친구들 모두를 밀고자로 만들라는 뜻이군."

담임 선생님이 어이없다는 듯 곁의 선생님을 돌아보고
한숨 쉬듯 말했다. 곁의 선생님도 나를 흘겨보며 맞장구를
쳤다.

"서울 선생들이 애들 상대로 못 할 짓을 자주 했나
보군요. 거 참……."

나는 내가 생각해 낸 방법이 그렇게도 풀이될 수 있다는

것을 도무지 이해할 수 없었다. 그저 모두가 석대만을
편들고 있으며, 그래서 내 말은 무엇이든 나쁘게만
받아들이고 있다는 게 속상하고 분하기 그지없었다.
갑자기 숨이 콱 막히고 걷잡을 수 없이 눈물이 쏟아졌다.
   전혀 기대하진 않았지만, 그 눈물이 의외의 효과를
냈다. 내가 갑자기 숨을 혁혁거리며 줄줄이 눈물만 쏟아
내고 있자, 담임 선생님이 약간 놀란 듯한 기색으로 그런
나를 올려다보았다. 그러다가 한참 뒤, 담배를 비벼 끄며
조용히 말했다.

"좋아, 한병태. 네 말대로 다시 한 번 해 보자. 돌아가 있어."

드디어 어느 정도는 선생님도 문제의 심각성을 인식한 것 같은 표정이었다.

그래도 얕보이기는 싫어 내가 눈물 자국을 깨끗이 씻고 교실로 돌아가니, 분위기가 이상했다. 아이들이 쿵쾅거리고 뛰어다닐 쉬는 시간인데도 교실 안은 연구 수업이라도 받고 있는 듯 조용했다. 그게 이상해 아이들이 눈길을 모으고 있는 교탁 쪽을 보니, 거기 엄석대가 나와 서 있었다. 조금 전까지 무슨 얘기를 했는지, 내가 들어서자 아이들을 보며 주먹만 높이 흔들어 보였다. '너희들 알았지!' 꼭 그렇게 말하고 있는 것 같았다.

다음 시간에 담임 선생님은 아예 수업을 포기한 듯, 시험지 크기의 백지만 한 뭉치 달랑 들고 교실로 들어왔다. 그리고 엄석대가 '차렷', '경례'의 구령을 마치기 바쁘게 그를 불러 말했다.

"반장은 교무실로 가 봐, 거기 내 책상 위에 그리다가 둔 학급 저축 실적 도표를 마저 그리도록. 다른 것은 다 해 두었으니까 막대만 붉은색으로 그려 세우면 돼."

엄석대가 나간 뒤, 아이들에게 말하는 태도도 그 전 시간과는 사뭇 달랐다.

"이번 시간에 여러분과 처리할 것은 엄석대 문제인데, 지난 시간에는 선생님이 묻는 방법에 잘못이 있었다. 이제 다시 묻는다. 여러분과 엄석대 사이에 아무런 문제가 없나? 단, 이번에는 팔을 들고 일어나거나 큰 소리로 말할 필요는 없다. 이름도 적지 말고, 여기 이 시험지에 여러분이 당한 일만 쓰면 된다. 선생님이 알기로는 여러분 중에 엄석대에게 죄 없이 얻어맞은 사람도 많고, 학용품이나 돈을 뺏긴 사람도 많다. 아무리 작더라도 그런 일이 있으면 모두 여기에 써라. 이것은 무슨 고자질이나 뒤돌아서서 흉을 보는 것과는 다르다. 학급을 위해서, 그리고 여러분을 위해서 하는 일인만큼 어느 누구의 눈치도 볼 것 없고, 의논하거나 간섭받아서도 안 된다. 모든 일은 이 선생님이 책임지고 여러분을 지켜 주겠다."

그러고는 스스로 백지를 아이들에게 한 장 한 장 나누어 주는 것이었다.

나는 그동안 그에게 품었던 야속함이나 원망이 눈 녹듯 스러짐을 느꼈다. 그리고 이번에야, 하는 기분으로 내가 아는 엄석대의 잘못을 모두 썼다.

그런데 여전히 알 수 없는 것은 아이들이었다. 한참 쓰다가 문득 주위를 둘러보니, 열심히 쓰고 있는 것은 오직 나뿐이었다. 다른 아이들은 모두 서로서로를

흘금거릴 뿐, 연필조차 잡고 있지 않았다.

　오래지 않아 담임 선생님도 그 눈치를 알아차린 듯했다. 무언가를 잠시 생각하더니, 아이들이 가지고 있는 마지막 굴레를 풀어 주었다. 그들 틈에 섞여 있는 눈에 보이지 않는 석대 편의 감시자들을 무력하게 만든 것이었는데, 내가 보기에도 옳은 듯했다.

　"아마도 내가 또 잘못한 것 같다. 내가 알고 싶은 것은 엄석대 개인의 잘못이 아니다. 나는 우리 반 모두가 안고 있는 문제를 알고 싶을 뿐이다. 따라서, 엄석대가 아니더라도 좋다. 누구든, 무엇이든 잘못이 있는 사람은

모두 적어 내도록. 친구의 잘못을 알고도 숨겨 주는
사람은 잘못한 그 사람보다 더 나쁠 수도 있다."

　선생님이 다시 그렇게 말하자, 이번에는 여기저기서
연필을 잡는 아이들이 생겨났다. 그걸 보니 나도 적이
마음이 놓였다.

　'이제는 그동안 감춰져 있던 석대의 나쁜 짓들이 모두
드러날 것이다.'

　나는 그렇게 믿으며, 그때껏 망설이던 짐작까지도
분명한 것인 양해서 석대의 죄상으로 백지의 나머지를
채워 나갔다.

　이윽고 수업 시간이 끝난 걸 알리는 종이 울리자, 담임
선생님은 아이들에게 나눠 주었던 백지들을 도로 거두어
말없이 교실을 나갔다. 아무런 선입견이 없음을 보여
주려는 듯, 어느 누구에게도 눈길 한 번 주지 않았다.

　나는 은근히 기대하면서 그 결과가 나오기를 기다렸다.
내가 교무실로 불려 간 사이에 석대가 아이들을 상대로
어떤 짓을 했는지 몰라도, 이번만은 그의 모든 죄상이
낱낱이 드러날 줄 나는 굳게 믿었다.

　우리들의 그 무기명 고발장을 다 읽고 오느라 그랬는지,
다음 시간에 선생님은 한 10분쯤 늦게 교실로 들어왔다.
그러나 내 기대와는 달리, 선생님은 자신이 읽은 것에

대해서는 한 마디도 내비치지 않고 바로 수업에 들어갔다.

　다음 시간도, 그다음 시간도 마찬가지였다. 선생님은 마치 아무 일도 없었던 것처럼 수업만 해 나갈 뿐이었다. 수업 중 이따금 나와 눈길이 마주칠 때도 있었으나, 그때조차도 특별한 조짐은 느낄 수 없었다. 그러다가 종례까지 끝난 뒤에야 비로소 담임 선생님은 나를 불렀다.

　그때, 나는 이미 까닭 모를 불안감에 두어 시간이나 시달린 뒤였다. 처음 아이들로부터 자신이 없는 동안 교실에서 일어난 일을 들을 때만 해도 석대의 얼굴은 드러나게 어두웠다. 셋째, 넷째 시간만 해도 여전히 풀이 죽어 있었는데, 점심 시간이 지나자 갑자기 달라졌다. 전처럼 오만하고 자신에 찬 태도로 되돌아가, 이따금씩 내게 가엾다는 듯한 눈길을 보내는 것이었다. 내가 까닭 모를 불안감에 시달리기 시작한 것은 바로 그때문이었다.

　"우선 이걸 봐라."

　내가 쭈뼛거리며 교무실로 들어서자, 담임 선생님은 먼저 그 무기명 고발장 뭉치부터 내게 내밀었다. 나는 떨리는 손으로 그걸 받아 하나씩 들춰 보았다. 담임 선생님의 거듭된 당부에도 불구하고 절반은 백지였는데, 놀라운 것은 무언가가 써진 그 나머지 절반의 내용이었다.

정확히, 서른두 장 중에
열다섯 장이 나의 이런저런
잘못을 들추고 있었다.

등하교길에서의 군것질, 만화
가게 출입 같은 것에서 교문 아닌 뒤쪽 철조망으로 학교를
빠져나간 것이며, 남의 오이밭에서 대나무 지주를 걷어찬
것, 다리 밑에 묶어 둔 말 엉덩이에서 말총 뺀 것 등등,
그 시절에 저지를 법한 자질구레한 비행들이 내 기억
속보다 더 가지런하게 거기 나열되어 있는 것이었다.
담임 선생님이 서울의 선생님들보다 추레하고 멍청하다고
한 말을 몇 배나 튀겨 적어 놓았는가 하면, 이웃집에 사는
윤희라는 6학년 여자아이와 몇 번 놀았던 걸 상스러운 말로
일러바치고 있기도 했다.

나 다음으로 많은 것은 약간 저능아 기미가 있는
김영기란 아이의, 나쁜 마음을 먹고 저지른
잘못이라기보다는 저능 때문에 벌어진 실수 대여섯
가지였다. 그다음이 고아원생인 이희도란 아이의 나쁜 짓
서넛에 또 누구 두엇 하는 식이었는데, 기막힌 것은
엄석대였다. 그의 비행이 적힌 시험지는 단 한 장, 내가 쓴
것뿐이었다.

읽기를 마친 나는 억울하거나 분하기보다는 깊이 모를

허탈감에 빠져들었다. 아니, 무언가 단단하고 높은 벽이 코앞을 콱 막아선 듯해 그저 아득하고 막막했다. 담임 선생님의 조용조용한 목소리가 멀리 하늘 위에서 뿌려지는 것처럼 그런 내 귓전을 맴돌았다.

　"짐작은…… 간다. 모든 게, 맘에 차지 않겠지. 서울식과는 많이 다를 거야. 특히, 엄석대가 반장으로서 하는 일은 어떻게 보면 못돼 먹고 거칠기도 하겠지. 하지만, 그게 바로 이곳의 방식이다. 자치회가 있고, 모든 게 토론과 투표에 의해 결정되고, 반장은 다만 심부름꾼일 그런 학교도 있다는 걸 나도 안다. 아니, 서울 아이들같이 모두가 똘똘하면 오히려 학급은 그렇게 운영되는 게 마땅하겠지. 그러나 거기서 좋았다고 그게 어디든 그대로 되는 건 아니다. 이곳은 이곳의 방식이 있고, 너는 먼저 거기 적응할 필요가 있어. 서울에서의 방식이 무조건 옳고, 이곳은 무조건 틀렸다는 식의 생각은 버려야 해. 굳이 그게 옳다고 고집하고 싶다면…… 너의 태도라도 바꿔. 네 편이 되어 주지 않는다고 반 아이들 모두와 싸우려 하거나 외톨이로 빙빙 겉돌아서는 안 돼. 봤지? 오늘 반 아이들 중 네 편은 단 하나도 없었어. 네가 꼭 석대를 반장 자리에서 쫓아내고, 우리 반을 서울에서 네가 있던 반처럼 만들고 싶었다면, 먼저 그 아이들을 네 편으로 만들었어야지.

석대가 이미 그 아이들을 휘어잡고 있어서 어찌해 볼 수가 없었다고 말할지도 모르겠지만, 그래도 너는 내게 달려오기 전에 아이들부터 먼저 네 편으로 돌려놨어야 했어. 그게 안 되니까 내게 왔다고 할지 모르지만, 그리고 아이들이 어리석으니까 선생인 내가 고쳐 놓아야 한다고 생각할지 모르지만, 그건 틀렸어. 설령 네가 옳더라도…… 나는 반 아이들 모두의 지지를 받고 있는 석대를 지지할 수밖에 없어. 네가 반드시 그러리라 믿고 있는 것처럼, 아이들의 그 지지란 것이 실상은 석대의 위협이나 속임수에 넘어간 거짓된 것일지라도 마찬가지야. 나는 어쨌든 아이들을 그렇게 만든 석대의 힘을 존중하지 않을 수 없어. 지금껏 흐트러짐 없이 잘 돼 나가던 우리 반을 막연한 기대만으로는 흩어 버릴 수 없기 때문이지. 게다가, 어쨌거나 석대는 전 학년에서 가장 공부 잘하고 통솔력 있는 모범적인 반장이다. 무턱대고 비뚤어진 눈으로만 보지 말고, 그의 장점도 인정할 줄 알아야 한다. 그리고 무엇보다도, 그 아이들 속으로 들어가 그들과 함께 새로 시작해 보아라. 석대와 경쟁하고 싶다면, 정당하게 경쟁해라. 알겠니?"

담임 선생님의 말은 곧 끝날 것 같으면서도 한참이나 이어졌다. 만약 그가 소리 높여 꾸짖었더라면, 아마도 나는 어떻게든 맞서 달리 주장하려 들었을 것이다. 아니, 성난 얼굴이었거나 조금이라도 나를 미워하는 기색이 있었더라도, 그렇게 조용히 듣고 앉아 있지만은 않았을 것이다. 그러나 자신의 감정을 억누르고 나를 이해하려 애쓰는 듯한 그 목소리와, 진정으로 나를 염려하는 듯한 그의 눈길은 내게서 그런 기력마저 빼앗아 버렸다. 나는 넋 나간 사람처럼 한참을 더 무정하고 성의 없는 담임 선생님의 이상한 논리를 들으며 앉아 있다가, 이윽고 쥐어짜다 만 빨래 같은 몸과 마음이 되어 거기서 풀려 났다.

만약 싸움이란 게 공격 정신이나 적극적인 방어만으로 승패가 결정된다면, 석대와의 싸움은 그날로 끝이었다. 그러나 불복종이나 비타협도 상대와 맞서는 한 가지 방법이라고 한다면, 내 외롭고 고단한 싸움은 그 뒤로도 두어 달은 더 이어졌다. 어른들식으로 표현한다면, 어리석은 다수 혹은 비겁한 다수에 의해 짓밟힌 내 진실이 모진 한처럼 나를 버텨 나가게 해 준 것이었다.

이미 내 수단이 다하고 궁리가 막힌 게 다 드러난 셈이건만, 신중한 석대는 그날 이후로도 직접으로는 나와의 싸움에 나서지 않았다. 그러나 그 공격은 전보다 몇 곱절이나 더 집요하고 엄중했고, 따라서 내게는 그때부터 전보다 몇 곱절이나 더 괴롭고 고단한 학교 생활이 시작되었다.

　가장 괴로웠던 것은 그날을 시작으로 시도 때도 없이 걸려 오는 주먹싸움이었다. 그 무렵, 어떤 학급이든 공부의 석차처럼 주먹싸움에도 등수가 매겨져 있게 마련이었고, 내 체력과 강단이 차지할 수 있는 원래의 싸움 등수는 대략 열서너 번째가 되었다. 그런데 갑작스레 그 등수가 무시되고, 그때껏 내가 이긴 걸 인정하고 있던 아이들이 공공연히 시비를 걸어 오는 것이었다. 말할 것도 없이 나는 그런 도전에 힘을 다해 맞섰다. 그러나 나의 싸움 등수는 하루하루 뒤로 밀려나기 시작했다. 힘으로든 강단으로든 분명히 이겨 낼 수 있는 상대인데도 막상 싸움이 붙으면 결과는 나의 참패로 끝났다. 전 같으면 울거나 달아남으로써 진 것을 인정할 녀석들이 무엇을 믿는지 끝까지 버텨 냈고, 떼 지어 둘러서서 일방적으로 그 녀석만 응원하는 아이들은 은근히 내 기를 죽여 놓았다. 흙바닥에서 엉겨 붙게 되면, 나는 어느새 알지 못할 손길의 도움에 밀려 밑에 깔려 버리기 일쑤였다. 라이터 사건이 있고 나서 한 달도 채 되기 전에 나는 반에서 아주 제쳐 놓은 조무래기 몇 명을 빼고는 싸움에서 꼴찌나 다름없게 되어 버렸다.

그다음으로 괴로운 것은 친구 문제였다. 벌써 전학 온지 한 학기가 지났건만, 나는 그때까지 단 한 사람의 친구도 만들 수 없었다. 라이터 사건이 있기 전만 해도, 내가 애써 다가가면 마지못해 놀아 주는 아이들이 있었고, 우리 집까지 따라와 준 아이들도 그럭저럭 대여섯 명은 되었다. 그러나 그 사건 후로는 학교에서뿐만 아니라 동네에서조차 나와 어울리려는 반 아이들이 없었다. 그 전의 따돌림과는 견딜 수도 없을 만큼 철저한 소외였다.

오늘날처럼 시설 좋은 어린이 놀이터도 없고, 혼자서도 견뎌 낼 수 있는 텔레비전이나 전자오락은커녕 마땅한 읽을거리나 장난감마저 흔치 않던 그 시절에 친구가 없다는 것은 하나의 큰 형벌이었다. 그 무렵의 학교에서의 점심시간이나 수업 전과 방과 후의 놀이 시간을 떠올리면 지금도 가슴이 서늘해진다. 그 어떤 놀이에도 끼이지 못한 나는 교실 창가나 운동장 구석 그늘진 곳에 붙어 서서 아이들이 패를 갈라 뛰노는 걸 물끄러미 바라보는 게 고작이었다. 겨우 갓난아기 머리통만한 고무공으로 하는 축구가 어찌 그렇게도 재미있어 보였던지. 찜뿌(방망이 없이 하는 야구 비슷한 놀이)나 8자놀이를 하며 이빨이 쏟아질 듯 웃어 대던 그 아이들은 또 얼마나 즐겁고 행복해 보였던지.

집으로 돌아와도 사정은 조금도 나아지지 않았다. 그때는 다른 나라 사람들만큼이나 멀어 보이던 다른 반 아이들 틈에 끼여 괄시를 받거나 상급생을 따라다니며 졸병질을 하지 않으면, 하급생들을 모아 마음에도 없는 대장 노릇을 하는 게 내가 동네에서 기껏 할 수 있는 선택의 범위였다. 더 있다면 어두컴컴한 만화 가게 골방에 처박히는 것과 네 살이나 어린 동생과의 싸움질로 어머니를 화나게 하는 일 정도였을까.

한번은 이런 일도 있었다. 옆 반에 새로 석대보다 더 크고 힘센 아이가 전학 와서 석대와 방과 후에 학교 옆 솔밭에서 겨뤄 보기로 한 바람에, 우리 반 전체가 똘똘 뭉쳐 응원을 가게 되었을 때였다. 반이라는 동료 집단에 함께 소속된 까닭인지, 나도 석대 편이 되어 아이들을 따라나섰다. 아이들도 그날만은 그런 나를 못 본 체해, 나는 별일 없이 그들과 하나가 될 수 있었고, 싸움이 석대의 승리로 끝이 나고도 한동안 그런 분위기는 이어졌다. 개선한 영웅을 맞아들이듯, 석대를 둘러싼 아이들 중에 하나가 힘든 싸움으로 땀에 젖고 흙투성이가 된 석대를 위해 가까운 냇가로 몌 감으러 갈 것을 제안하고, 아이들도 일제히 찬성해 나도 슬그머니 끼어들었다. 그런데 냇가에 이르러서야 나를 발견한 석대가 가볍게 눈살을 찌푸리자, 분위기는 일변했다.

"어이 한병태, 넌 왜 왔어?"

눈치 빠른 녀석 하나가 그렇게 쏘아붙인 걸 시작으로, 아이들이 나를 몰아 대기 시작했다.

"정말, 언제 끼어들었지?"

"인마, 누가 너보고 응원해 달랬어?"

나는 갑자기 콧등이 시큰하며 눈물이 핑 돌았다. 뚜렷하지는 않지만, 나는 그때 이미 소외된 자의 서러움과 그 쓰디쓴 외로움을 맛보고 있었던 것이나 아니었던지.

하지만, 주먹싸움의 등수가 터무니없이 뒤로 밀리거나 아이들로부터 소외되는 것에 못지않게 괴로운 것은 합법적이고도 공공연한 박해였다. 앞서 내비친 적이 있듯, 어른들의 세계에서와 마찬가지로 아이들의 세계에서도 지켜야 할 규범들은 있게 마련이고, 또한 어른들이 그 누구도 그런 걸 다 지키며 살아가지는 못하듯 아이들 역시 그 모든 걸 다 지켜 내기는 어렵다. 털어 먼지 안 나는 사람 없다는 말처럼, 엄격히 보면 아이들도 어른들의 불법 행동이나 부도덕한 행위에 견줄 만한 자질구레한 비행들을 수없이 저지르며 하루하루를 보내고 있다. 학칙, 교장 선생님의 훈시, 주훈, 담임 선생님의 말씀과

자치회의 결정 같은 걸 지키지 않거나 부모님과 웃어른의 당부, 일반 윤리 및 사회가 어린이에게 요구하는 행동 양식을 어기는 것인데, 나는 바로 그러한 규범들을 가장 엄격하게 적용받았다.

조금만 손톱이 길어도, 며칠만 이발이 늦어져도, 나는 어김없이 위생 불량자의 명단에 올랐고, 옷 솔기가 터지거나 단추 하나만 떨어져도 복장 위반자로 벌을 받아야 했다. 재수없게 주번 선생님에게만 걸리지 않으면 되는 등하굣길의 군것질도 내가 하면 범죄가 되었으며, 동네 만화 가게의 골방에 숨어서 읽은 만화도 담임 선생님의 귀에 들어가 어김없이 꾸중을 듣게 되었다. 요컨대, 다른 아이들이 다 하는, 그리고 어쩌다 재수없이 걸려도 가벼운 꾸중으로 끝날 뿐인, 그런 자질구레한 잘못들도 내가 하면 엄청난 비행으로 여럿 앞에 까발려져 성토당하고, 자치회의 기록에 올려지고, 담임 선생님의 꾸중이나 화장실 청소 같은 벌로 끝을 보았다. 언제나 고발자는 따로 있었지만, 그 뒤에 있는 것은 틀림없이 석대였다.

성의 없고 무정한 담임 선생님을 대신해 그 같은 규칙 위반을 감시하거나 처벌할 수 있었던 석대는 아이들의

고발이 있을 때마다 겉으로는 공정하게 그 권한을
행사했다. 예를 들면, 입의 혀같이 노는 자기 졸병들도
나하고 같이 걸리면 여럿 앞에서는 일단 똑같은 벌을
주었다. 그러나 실제 집행에서는 달랐고, 그게 더욱 나의
분통을 터뜨리게 했다. 다같이 벌로 화장실 청소를 하게
되어도 그쪽은 대강 쓸기만 하면 합격 판정을 내려
집으로 보냈지만, 나는 물로 바닥의 때까지 깨끗이 씻어
내야 겨우 집으로 돌아갈 수 있게 되는 때가 바로 그랬다.
 어디까지나 짐작이기는 하지만, 석대는 그 밖에도
자신이 가진 합법적인 권한을 악용해 적극적으로 나를
불리하게 만들기도 했다. 다른 아이들에게는 그 전날
가만히 알려 주어 나만 갑자기 당하는 꼴이 되는 위생
검사나, 학교 오는 길에 수레를 따라 걷다가 쇠고리에
걸려 옷이 찢긴 때와 같은 날만 골라 느닷없이 복장
검사를 하는 것 등이 그 예였다. 그 바람에 나는 마침내
우리 반에서뿐만 아니라, 학교 전체에 다 알려질 만큼
말썽 많은 불량스러운 아이가 되어 버렸다.
 학교생활이 그 모양이 되고 나니, 공부인들 제대로 될
리가 없었다. 어떻게든 그 학교에서는 일 등을
차지하리라던 전학 초기의 내 장한 결심과는 달리,
내 성적은 차츰차츰 떨어져 한 학기가 끝났을 때에는 겨우

중간을 웃돌 뿐이었다.

　물론 그렇다고 내가 가만히 앉아 당하고만 있었던 것은
아니었다. 나름대로 있는 힘과 꾀를 다 짜내 그런 상태를
개선해 보려고 애썼다. 그 가운데 하나가 부모님을
동원하는 것이었다. 담임 선생님에 대한 기대를 아예
거둬들인 뒤, 나는 먼저 아버지에게 내가 빠져 있는
외롭고 힘든 싸움을 털어놓고 도움을 구했다. 그러나
무력감으로 전 같지 않게 비뚤어져 있던 아버지는
무정하고 성의 없는 담임 선생님과 크게 다르지 않았다.

　"못난 자식, 누구 일을 누구더러 해 달라는 거야? 힘이
모자라면 돌도 있고 막대기도 있잖아? 그보다 공부부터
이겨 놓고 봐. 그래도 아이들이 안 따르나……."

　내가 감정을 앞세워 상황을 잘 설명하지 못한 탓도
있고, 아버지가 내 일을 아이들 세계에 흔히 있는 사소한
다툼쯤으로 쉽게 여기신 탓도 있겠지만, 나는 아버지의
그 같은 역정 앞에서 더 이상 말해 볼 기력을 잃고 말았다.

　그래도 어머니는 나를 이해하려고 애를 썼다. 곁에서
듣고 있다가 아버지를 매섭게 몰아붙인 어머니는 이어
내게 여러 가지로 가만가만 묻더니, 다음 날 새벽같이
학교로 달려갔다. 나는 그런 어머니에게 다시 은근히
기대를 걸어 보았지만, 결국은 부질없는 짓이었다.

"너는 애가 왜 그리 좀스럽고 샘이
많으니? 그리고 공부는 또 그게 뭐야?
도대체 너 왜 그래? 거기다가
엄마한테 거짓말까지 하고…….
오늘 네 담임 선생님 만나 두
시간이나 얘기했다. 엄석댄가 하는 개도 만나
봤지. 순하면서도 아이답지 않고 속이 트인 애더구나.
공부도 전교에서 일 등이고……."

내가 학교에서 돌아오자마자, 어머니는 나를
기다렸다는 듯이 그렇게 나무라기 시작했다. 그리고 이어
반 시간 넘게 담임 선생님과 비슷한 잔소리를
늘어놓았으나, 내 귀에는 그 이상 한 마디도 들어오지
않았다. 그때, 나를 사로잡고 있던 것은 절망을 넘어
허탈에 가까운 감정이었다. 그런데도 내가 그 뒤로도
한참이나 더 그 싸움을 버텨낸 걸 돌이켜 보면, 지금에
와서도 스스로가 대견스럽게 느껴질 때가 있다.

하지만, 이윽고 그 싸움도 끝날 날이 왔다. 그렇게 한
학기를 채우자, 나는 차츰 지쳐 가기 시작했다. 처음의
그 맹렬하던 투지는 간 곳 없어지고, 무슨 한처럼 나를
지탱시켜 주던 미움도 차차 무디어져 갔다. 그리하여
새 학기가 시작되면서 나는 은근히 내 굴복을 표시하기에

마땅한 기회를 기다렸지만, 괴로운 것은 그런 기회조차
쉽게 나타나지 않는 것이었다.

　그도 그럴 것이 나는 그때까지 힘들여 싸웠으나,
한 번도 석대와 직접 맞부딪친 적은 없었다. 언제나 나를
괴롭힌 것은 그 아닌 다른 아이 또는 동아리였고, 아니면
이런저런 규칙이거나 반장이란 직책이 지닌 합법적인
권한이었다. 개별적으로 석대는 내게 말을 걸기는커녕
오래 얼굴을 마주 보는 일조차 없었던 것이다.

　그 바람에 나는 이미 저항할 뜻을 모두 버리고서도
괴롭게 반을 겉돌고 있었는데, 드디어 때가 왔다. 다음 날,
장학관의 순시가 있어 대청소가 벌어진 날이었다. 그날,
우리는 오전 수업만 마친 뒤 교실은 말할 것도 없고
화단이며 운동장의 실습지까지 나누어 각자가 청소해야
할 몫을 받았다.

　워낙 쓸고 닦고 다듬어야 할 곳이 많다 보니 배당된
몫도 많아, 내게 돌아온 것은 화단 쪽으로 난 창틀 두
개였다. 창살 사이로 가로세로 한 자 남짓한 유리창이
여덟 장 박힌 미닫이창이라, 창틀 둘을 합치면 작은
유리로는 서른두 장을 닦아야 하는 셈이었다. 평소로
봐서는 많은 편이었지만, 교실과 복도의 마룻바닥은 마른
걸레로 닦고 양초까지 먹일 정도의 대청소라, 결코

부당하다고 할 수는 없는 할당이었다.

그런데 문제는 담임 선생님에게서부터 비롯됐다. 다른 반 담임들은 모두 팔을 걷어붙이고 나서 청소를 지휘하고 감독했건만, 우리 반 담임은 겨우 일만 자신이 나서서 몫몫이 나누어 주었을 뿐, 검사는 여느 때처럼 석대에게 맡기고 일찌감치 없어져 버린 까닭이었다.

석대에게 맞서고 있을 때 같았으면 담임 선생님의 그런 무책임한 위임부터가 비위에 거슬렸겠지만, 그날 나는 오히려 그걸 다행으로 여겼다. 그럴 때 일을 잘하는 것도 석대의 눈에 드는 길이라는 걸 나는 잘 알고 있었다. 그 얼마 전까지만 해도 석대의 검사를 받아야 하는 게 무조건 싫어 석대가 검사를 해 주는 청소는 아무렇게나 해치우곤 하던 나였다.

그날, 나는 정말로 공을 들여 내가 맡은 창문을 닦았다. 먼저 물걸레로 유리창이며 창틀에 찌들어 있는 먼지와 때를 씻어 내고, 이어 마른 수건으로 깨끗이 물기를 닦았다. 그리고 신문지, 하얀 습자지의 순으로 입김을 호호 불어 가며 남아 있는 먼지들을 없애 나갔다.

공을 들인 만큼 시간도 많이 걸려, 내가 두 개의 창틀 유리를 말끔히 했을 때에는 아이들 태반이 자기 몫의 청소를 끝낸 뒤였다. 석대는 그 아이들과 어울려 마당에서

공놀이를 하고 있었다. 석대 편이 몇 명을 접어 주지만, 그래도 언제나 석대 편이 우세한 그런 축구 시합이었다.

내가 청소 검사를 맡으러 왔다고 하자, 석대는 마침 몰고 있던 공을 자기 편에게로 차 주고 선선히 앞장을 섰다. 담임 선생님의 성실한 대리인다운 태도였다. 그가 눈으로 내가 닦은 창틀을 훑어보는 동안, 나는 가슴 두근거리며 결과를 기다렸다. 스스로 보기에도 내가 닦은 유리 창틀은 곁의 창틀과는 비교도 안 될 만큼 말갛고 깨끗했다. 나는 만약 기분이 좋아진 그가 부드럽게 대해 주면 내 쪽에서도 적당히 그의 호감을 살 수 있는 맞장구를 쳐, 내가 생각을 바꾼 걸 넌지시 알릴 참이었다. 그런데 결과는 뜻밖이었다.

"안 되겠는데, 여기 얼룩이 그대로 있어. 다시 닦아."

한동안 유리창들을 살펴본 석대가 그렇게 말하고는 다시 운동장으로 뛰어나갔다. 나는 피가 한꺼번에 얼굴로 확 치솟는 듯한 느낌으로 무언가 항의하려 했으나, 석대는 어느새 저만치 달려가고 있었다.

나는 간신히 마음을 가라앉히고, 먼저 두 개의 창틀부터 다시 한 번 살펴보았다. 정말로 왼쪽 창틀 유리 몇 장에 물이 흐른 듯한 자국이 어렴풋이 비쳤다. 나는 맞서 항의하지 않은 걸 다행으로 여기며 정성 들여 그 얼룩을

지웠다. 그러다 보니 그 밖에도 다른 얼룩이나 점 같은
것들도 눈에 띄어 제법 시간이 흐른 뒤에야 다시 석대에게
검사를 맡으러 갈 수가 있었다.

그때는 이미 교실뿐만 아니라 실습지 정리를 맡은
아이들까지 모두 일을 끝낸 뒤여서, 시합판이 한창 열기를
뿜고 있는 중이었다. 선수들도 제법 발 빠른 아이들로 골라
열한 명 대 열세 명으로 고정되어 있었고, 공은 어디서
났는지 가죽으로 된 진짜 축구공이었다. 나는 한창 불이
붙은 시합판을 깨기 싫어 한참을 기다리다가 석대가 한
골을 넣는 걸 보고서야 다가가 검사 맡으러 왔음을
알렸다.

이번에도 석대는 조금도 지체없이 놀이에서 빠져
나왔다. 그러나 결과는 마찬가지였다.

"여기 아직 파리똥이 그대로 있잖아? 이 구석 먼지하고
다시 닦아."

이번에는 나도 참지 못하고 작은 소리로 항의했다. 곁의
창틀과 견주어 보라는 말이었는데, 석대는 내가 가리키는
창틀을 돌아보지도 않고 차갑게 내 말을 잘랐다.

"걔는 걔고, 너는 너야. 어쨌든 이 창틀 청소는 합격시켜
줄 수 없어."

마치 나는 특별히 엄격한 검사를 받아야 한다는 투의

말이었다.

그렇게 나오면 하는 수 없었다. 나는 다시 창틀에 올라가 서른두 장 유리창 구석구석을 살피며, 이번에는 칭찬은커녕 불합격을 면하기 위해 정성을 다 쏟았다.

세 번째에도 석대는 무언가 트집을 잡아 또 딱지를 놓았다. 나는 마음에도 없는 미소까지 지으며 그의 호감을 사려고 애써 보았지만, 소용없는 일이었다. 그는 불합격의 뜻만 밝히고는, 초가을이라고는 해도 아직은 따가운 햇살 아래에서 그때껏 뛰고 뒹군 아이들을 데리고 가까운 냇가로 나가 버렸다.

나는 네 번째로 창틀에 올라가 다시 유리창에 달라붙었다. 그러나 온몸에서 맥이 싹 빠져 나가 손가락 하나 까딱하고 싶지 않았다. 넋 나간 사람처럼 멀거니 뒷문 솔숲 사이로 사라지는 석대와 아이들을 바라보다가 슬그머니 창틀에 주저앉았다. 이미 합격 불합격은 내 노력에 달린 것이 아니라 석대의 마음에 달려 있다는 걸 안 이상 헛수고를 하고 싶지 않아서였다.

어느덧 해는 서편으로 넘어가고, 교정에는 인적이 드물어졌다. 아이들은 하나도 보이지 않고 띄엄띄엄 퇴근하는 선생님들의 발자국 소리만 유난히 크게 들릴 뿐이었다. 나는 그사이 몇 번인가 모든 걸 팽개치고 집으로 달려가 버리고 싶은 충동을 느꼈다. 이미 모든 저항을 포기한 뒤이긴 해도, 그냥 참아 넘기기에는 너무 심한 횡포였다. 그러나 다음 날 석대의 말만 듣고 반 아이들이 지켜보는 앞에서 나를 불러내 매질할 담임 선생님과, 또 그걸 고소하게 바라볼 석대의 얼굴을 떠올리자, 그런 충동은 금세 가라앉았다. 대신, 좀 비굴하기는 하지만 아이답지 않게 고급스러운 방법을 생각해 내면서, 오히려 석대가 더 늦게 오기를 바라게 되었다. 내가 괴로워하는 걸 보고 싶다면 보여 주마. 네가 돌아오면 눈물이라도 흘리며 괴로워해 주마. 그렇게라도 네 앙심을 풀 수 있다면, 그게 생각해 낸 방법이었다.

석대와 아이들이 다시 뒷문께에 나타난 것은 교정 서쪽의 아름드리 히말라야삼목 그늘이 운동장을 가로질러 덮어 버린 뒤였다. 그런데 그게 어찌된 일이었을까? 멱을 감았는지 젖은 머리카락들을 반짝이며 와자하게 운동장으로 들어서는 그들을 보자, 별로 애쓸 것도 없이 내 눈에서 갑자기 눈물이 쏟아졌다. 조금 전의 고급스러운 방법 따위는 까맣게 잊고, 마음 깊은 곳에서 우러나는 진짜 눈물이었다.

얼핏 들으면 느닷없고 이상하게 느껴질지 모르지만, 이제 와서 냉정히 따져 보면 그때의 그 눈물을 전혀

설명할 수 없는 것은 아니다. 저항을 포기하고, 미움마저 잃어버리고 나니 슬픔만이 남았을 뿐이었다. 나는 그때, 아마도 스스로의 무력함이 슬퍼서 울었고, 그 외로움이 슬퍼서 울었을 것이다.

"어이, 한병태."

그 갑작스러운 눈물은 걷잡을 수 없는 흐느낌으로 변해 내가 창틀을 붙들고 울고 있을 때, 가까운 곳에서 그런 소리가 들렸다. 눈물을 씻고 그쪽을 보니, 아이들을 저만치 떼어 놓고 석대 혼자 창틀 아래로 와서 나를 올려다보고 있었다. 전에 없이 너그럽고 자비스러워 보이기까지 하는 얼굴이었다.

"이제 돌아가도 좋아. 유리창 청소 합격."

샘솟는 내 눈물로 이내 뿌옇게 흐려진 그 얼굴 쪽에서 다시 부드러운 목소리가 들렸다. 짐작컨대, 그는 내 눈물의 의미를 꿰뚫어 보았음에 틀림이 없다. 거기서 이제는 결코 뒤집힐 리 없는 자신의 승리를 확인하고, 나를 그 외롭고 고단한 싸움에서 풀어 준 것이었다. 그러나 내게는 그 너그러움이 오직 감격스러울 뿐이었다. 이튿날, 나는 아끼던 샤프 펜슬을 석대에게 줌으로써 그 감격을 나타냈다…….

너무도 허망하게 끝난 싸움이고 또한 그만큼 어이없이

시작된 굴종이었지만, 그 굴종의 열매는 달았다. 오랜 시간 끈질긴 반항 끝에 이루어진 굴종의 열매라 특히 더 달았는지도 모를 일이었다. 내가 그의 질서 안으로 들어간 것이 확인되면서, 석대의 은혜는 폭포처럼 쏟아졌다.

석대가 먼저 내게 베푼 것은 주먹싸움의 서열을 바로잡아 준 것이었다. 그의 그늘에서 부당하게 내 순위를 가로채 간 녀석들 가운데 몇몇은 호된 값을 치르고 내게 그 순위를 내놓아야 했다. 석대는 그새 나를 얕볼 대로 얕보게 된 아이들이 제 힘도 헤아려 보지 않고 내게 함부로 이 자식 저 자식 하는 걸 보면 느닷없이 녀석을 윽박질렀다.

"야, 너 정말 병태에게 이겨? 싸워서 이길 자신 있느냐구?"

그러고는 다시 내게 넌지시 권하듯 말했다.

"병태, 너 다시 한 번 안 싸워 볼래? 저런 병신 같은 새끼한테 영영 죽어 지낼 작정이야?"

그러면 거기서 힘을 얻은 나는 그가 마련해 준 공정한 링에서 싸움을 벌였고, 그동안 맺힌 앙심은 내 주먹을 한층 맵게 해 주어 번번이 통쾌한 승리를 내게 안겨 주었다. 그 기세에 겁먹은 아이들은 싸워 보지도 않고 손을 들었으며, 그 바람에 나는 몇 번 싸우지도 않고 원래의 내 주먹 서열보다 오히려 두세 등급 높은 열두 번째로 올라설 수 있었다.

동무들과 놀이도 되찾았다. 나에 대한 석대의 태도가 달라지자, 아이들도 더 이상 나를 피하려 들지 않았다. 오히려 석대가 나를 남달리 생각하는 걸 눈치채고 놀이 같은 데서 서로 자기 편으로 만들려고 애를 썼다. 한 학기 동안 겪었던 외로움과 쓰라림을 한꺼번에 씻어 줄 만한 반전이었다.

나를 우리 학급에서뿐만 아니라, 학교 전체에서도 유명한 말썽꾼으로 만들었던 크고 작은 규칙 위반 같은 문제도 더 이상 나를 괴롭히지 않았다. 아무것도 아닌

잘못까지도 시시콜콜히 물고 늘어지던 고발자들은 자취를 감추고, 나는 차츰 모범생으로 변해 갔다. 우리가 지켜야 할 규범들이 갑자기 줄어든 것도 아니고, 나 자신이 변한 것도 없건만, 담임 선생님도 돌아온 탕아를 맞는 아버지처럼 그런 나를 따뜻이 반겨 주었다.

그렇게 되자 성적도 차츰 제자리로 돌아왔다. 2학기가 절반도 가기 전에 나는 10등 안에 들어섰고, 겨울 방학 전의 평가 시험에서는 마침내 2등을 되찾았다. 그리고 성적을 되찾은 것을 끝으로 제법 심각했던 아버지와 어머니의 걱정도 사라졌다. 나는 다시 그분들의 사랑스럽고 똘똘한 맏아들로 돌아갔다.

따지고 보면, 그 모든 것은 석대가 내게서 빼앗아 갔던 것들이었다. 냉정히 말하면, 나는 내 것을 되찾은 것뿐이고, 한껏 석대를 보아준댔자, 꼭 필요하지도 않은 곳에 약간의 이자를 보태 준 것에 지나지 않았다. 그러나 한번 그런 일을 겪고 나니, 모든 것이 하나같이 석대의 크나큰 은총으로만 느껴졌다.

그에 비해 석대가 대가로 요구하는 것은 생각 밖으로 적었다. 다른 아이들에게는 그렇지 않았던 듯도 싶지만, 그는 내게서 무엇을 빼앗기는커녕 달라고도 하지 않았다. 내가 스스로 맛있는 것이나 아끼던 학용품을 갖다줘도

그는 받으려 하지 않았고, 어쩌다 받게 되면, 반드시
그 몇 배로 돌려주었다. 그래서 오히려 더 자주 내가
그에게서 무엇을 얻어 쓴 것 같은 기억이었다. 그것들이
하나같이 다른 아이들에게서 거둬들인 것이어서
께름칙하기는 했어도.

또, 석대는 내게 강제적으로 무슨 일을 시키지도
않았다. 때로 아이들은 무언가 석대의 요구를 이행하느라
고통스러워하는 듯했지만, 나는 한 번도 그런 적이
없었다. 그런 일들은 나를 자주 감격시켰다.

그가 내게 바라는 것은 오직 내가 그의 질서에 순응하는
것, 그리하여 그의 왕국을 허물려 들지 않는 것뿐이었다.
실은 그거야말로 굴종이며, 그의 질서와 왕국이 정의롭지
못하다는 사실에 비춰 본다면 그 굴종은 내가 치른 대가
중에서 가장 값비싼 대가가 될 수도 있으나, 이미 자유와
합리의 기억을 포기한 내게는 조금도 그렇게 느껴지지
않았다.

하기야 나중에, 그러니까 내가 그의 질서에 온전히
길들여지고 그의 왕국에 비판없이 안주하게 되었을 때,
그가 베푼 은총의 대가로 내가 지불해야 했던 게 한 가지
더 있기는 했다. 그것은 바로 나의 그림 솜씨였다. 나는
미술 실기 시간만 되면 다른 아이들이 한 장을 그리는

동안 두 장을 그려야 했다. 그림 솜씨가 시원찮은 석대를
위해서였는데, 그 바람에 '우리들의 솜씨'란에는 종종 내
그림 두 장이 석대의 이름과 내 이름을 달고 나란히 붙어
있곤 했다. 그러나 그것도 석대가 원해서 그랬는지, 내가
자청해서 그랬는지조차 뚜렷하게 기억나지 않을 만큼
강요받은 흔적은 보이지 않는다. 짐작으로는 그의 왕국에
안주한 한 신하로서의 도리를 한 것에 가까웠던 것 같다.

우리 반의 혁명은 갑작스럽고 약간 엉뚱한 방향에서 왔다. 그 이듬해, 담임 선생님이 바뀐 지 채 한 달도 안 돼 그렇게도 굳건해 보였던 석대의 왕국은 겨우 한나절로 산산조각이 나고, 그 강력한 지배자는 한낱 범죄자로 전락해 우리들의 세계에서 사라져 간 것이었다.

그렇지만 그 혁명에 대한 자세한 얘기를 하기 전에 먼저 고백해 둘 일이 하나 있다. 그것은 바로 석대의 왕국을 뿌리째 뒤흔든 계기가 된 그의 엄청난 비밀을 내가 진작부터 알고 있었다는 점이다.

아마도 그해 12월 초순의 일이었던 걸로 기억된다. 기말시험을 치르던 날이었는데, 시험을 공정하게

치른다는 뜻에서 이례적으로 자리를 막 뒤섞는 바람에
내 곁에는 박원하라는 공부 잘하는 아이가 앉게 되었다.
여러 과목 중에서도 특히 수학이 뛰어난 아이로, 석대와
가깝기로도 열 손가락 안에 들었다. 언제나 수학이 모자라
걱정인 내게는 그 아이가 내 곁에 앉은 게 왠지 든든하게
느껴졌다.

  그런데 두 시간째 수학 시험 시간이 되어 나는 우연히
박원하가 이상한 짓을 하는 걸 보게 되었다. 응용 문제
하나가 막힌 내가 꼭 커닝을 하겠다는 뜻에서라기보다
그 애는 답을 썼나 안 썼나 궁금해 흘끗 훔쳐 보니, 이미
답안지를 다 채운 그 애가 이름을 지우개로 지우고
있었다. 나는 문득 수상쩍은 느낌이 들었다. 답이야
지웠다 새로 쓰는 수도 있지만, 자기 이름을 잘못 써서
지우는 일은 없기 때문이다.

  그 바람에 나는 시간이 얼마 안 남았다는 것도 잊고
박원하가 하는 짓을 유심히 살폈다. 그 애는 힐끔힐끔
시험 감독을 나온 다른 반 담임을 훔쳐보며 방금 말끔히
지운 곳에 얼른 이름을 써 넣었는데, 놀랍게도 그 이름은
엄석대의 것이었다. 이름을 다 써 넣고서야 겨우 여유를
찾은 그 애가 사방을 슬그머니 돌아보다 나와 눈이
마주치자 찔끔했다. 그러나 그 눈꼬리에 곧 웃음기가

비치는 게 나를 경계하거나 두려워하는 것 같지는 않았다.

"너 아까 뭘 했니?"

쉬는 시간이 되자마자, 나는 박원하에게 가만히 물어 보았다. 원하가 비실비실 웃으며 대답했다.

"이번에는 수학이 내 차례였어."

"수학이 네 차례라니? 그럼, 다른 과목도 누가 그러는 거야?"

나는 놀랍고도 어이없어 다시 그렇게 물었다. 박원하가 잠깐 사방을 둘러보더니 소리를 낮춰 말했다.

"몰랐어? 지난 시간 국어 시험은 아마도 황영수가 했을 거야."

"뭐야? 그럼 너희들은…….."

"엄석대의 점수를 받는 거지 뭐. 너는 미술을 대신 그려 주니까 눈치 봐서 두 장을 그려 내면 되지만, 시험은 그게 안 되잖아? 석대하고 점수를 바꾸는 수밖에…….."

그제서야 나는 엄석대가 그토록 놀라운 평균 점수를 얻어 내는 비결을 알아차렸다. 내가 별생각 없이 그려 준 그림도 사실은 석대의 전 과목 수를 돕고 있었다는 것도.

"전 과목 모두 시험마다 그래?"

나는 놀란 가슴을 진정시키며 다시 물었다. 박원하는 공범자끼리의 은근한 말투로 내가 묻는 대로 숨김 없이 대답해 주었다.

"전 과목 모두는 아니야. 대개 두 과목쯤은 제 스스로
공부해 오지. 이번에는 자연과 사회만 진짜 엄석대의
실력이야. 그러나 시험마다 그 과목도 바꾸고, 대신
이름을 써 낼 아이도 바꿔."

"그럼, 그 두 과목을 뺀 나머지 시험에서 엄석대가 받는
점수는 어때?"

"한 80점 안팎일 거야."

"그렇다면 이번 수학 시험의 경우, 너는 15점 이상
손해 보잖아?"

"할 수 없지 뭐. 다른 애들도 다 그러니까. 게다가,
석대는 차례를 공정하게 돌리기 때문에 손해는 모두
비슷해. 따라서, 석대만 빼면 우리끼리의 성적순은
실력대로야. 너같이 재수 좋은 애가 우리 앞에 끼어들지
않는다면 말이야."

원하가 우리라고 하는 것은 석대가 특별히 우대하는
몇 명을 가리키는 말이었다. 공부로는 반에서 상위권인
동아리로, 끼어든 지 얼마 되지는 않지만 나도 그중의
하나였다.

"그런데…… 아직 석대가 그걸 네게 말해 주지 않았어?
이상한데……."

그 엄청난 비밀이 준 충격으로 멍해 있는 나를 보다가 원하가 갑자기 걱정스러운 얼굴이 되어 물었다. 그러다가 이내 스스로를 안심시키듯 덧붙였다.

"뭐, 이제야 말해 줘도 괜찮겠지. 너도 석대의 그림을 대신 그려 주고 있으니까. 그건 미술 실기 시험을 대신 쳐 주는 셈이잖아. 게다가, 곧 석대와 시험지를 바꿔야 할지도 모르고⋯⋯."

하지만, 그때 이미 나는 갑작스럽고도 강한 유혹에 휘말려 제정신이 아니었다.

그 유혹이란, 방금 알아낸 그 엄청난 비밀로, 어느 누구도 용서할 리 없는 무서운 비행의 움직일 수 없는 증거로, 이미 끝난 석대와의 싸움을 뒤집어 보자는 것이었다. 담임 선생님이 아무리 무정하고 성의 없다 해도, 석대의 그 같은 행위까지는 묵인하지 않을 것 같았다. 그리하여 석대를 잡기만 한다면, 그것은 지금껏 그를 두둔해 온 담임 선생님에게 멋진 앙갚음이 될 뿐만 아니라, 나를 믿지 않고 윽박지르기만 한 아버지, 어머니에게도 멋진 앙갚음이 될 것이다. 억눌려 참고는 있어도 실은 괴로워하고 있음에 틀림없는 아이들에게 나는 새로운 영웅으로 떠오를 것이고, 쓰라림으로 포기해야 했던 자유와 합리의 지배가 되살아날 것에 대해서도 나는 분명 가슴이 두근거렸다.

그러나 다시 수업 시작을 알리는 종소리가 나고, 시험 감독으로 들어온 담임 선생님의 얼굴을 보게 되면서부터 들떠 있던 내 마음은 조금씩 가라앉기 시작했다. 이미 있는 것은 모두가 심드렁하고, 새로움과 변화는 오직 귀찮고 성가실 뿐이라는 듯한 그의 표정에서 라이터 사건 때의 내 참담한 실패가 떠오른 까닭이었다. 움직일 수 없는 증거를 코앞에 들이대지 않는 한, 담임 선생님의 둔감과 무관심의 벽을 허물 수 있는 일은 아무것도 없을 성싶었다.

거기서 나는 다시 아이들을 돌아보았다. 움직일 수 없는 증거가 돼 줄 수 있는 것은 그들이었으나, 그들이 갑자기 내 편이 되어 그때껏 묵인하고 협조해 오던 석대의 그 같은 비행을 담임 선생님에게 밝혀 주리라는 보장 또한 그리 많아 보이지는 않았다. 게다가, 어떤 의미에서는 그들도 석대의 공범자들이 아닌가, 석대와 힘을 합쳐 담임 선생님의 공정한 채점을 방해해 오지 않았는가 하는 생각이 들자, 나는 더욱 자신이 없어졌다. 그때, 분명히 석대에게 라이터를 빼앗겨 놓고도, 담임 선생님이 묻자 빌려주었을 뿐이라며 시치미를 떼던 병조의 얼굴이 머릿속에 생생히 떠오르고, 모처럼 석대를 마음 놓고 고발할 기회를 주었건만, 오히려 나 자신의 자질구레한 잘못들만 가득 적혀 있던 시험지들이 섬뜩하게 눈앞에 되살아났다.

그때에는 이미 두 달 가까이나 맛들인 굴종의 단 열매나 영악스러운 계산도 나를 말렸다. 사실, 석대의 질서 아래 있다고 해서 내게 불리할 것은 아무것도 없었다. 이미 말했듯, 나의 끈질기고 오랜 저항은 오히려 훈장이 되어 내게 여러 가지 특전으로 되돌아온 까닭이었다. 어떤 면에서 나는 어린이 자치회와 다수결의 지배를 받던 서울에서보다 더 많은 자유를 누렸고, 반 아이들에 대한 영향력도 서울에서의 내 위치였던 분단장급보다 크면 컸지, 작지는 않았다. 성적도 석대가 그런 식으로 계속 다른 아이들의 발목을 잡아 주는 게 내게 유리할 수도 있었다. 1등을 넘보지 않는 한, 2등은 그리 힘들이지 않고도 내 차지가 될 것이기 때문이었다.

　그러나 내가 담임 선생님에게 달려가는 걸 결정적으로
막은 것은 다름 아닌 석대 그 자신이었다. 두 가지 상반된
유혹에 시달리면서도 그날 시험이 다 끝날 때까지 마음을
정하지 못한 내가 복잡한 머릿속으로 종례를 기다리고
있을 때, 석대가 불쑥 내 책상 앞으로 다가와 말했다.
　"야, 한병태, 오늘 시험도 끝났고 하니까, 우리 어디
놀러 가는 게 어때?"
　그가 내 마음속을 들여다보았을 리는 없었지만, 제풀에
놀란 내가 펄쩍 일어나며 물었다.

"추운데, 어딜?"

"미포쯤이 어때? 거기 춥지 않게 놀 수 있는 곳을 알아."

미포는 학교에서 오 리쯤 떨어진 솔숲 끝의 냇가였다. 반쯤 부서진 공장 건물 몇 채가 있을 뿐인 황량한 곳이었으나, 아이들에게는 바로 그 부서진 공장이 좋은 놀이터가 되었다.

"그래, 좋아."

"우리 모두 가자."

나보다 곁에서 듣고 있던 아이들이 더 신이 나서 그렇게 떠들며 나섰다. 나도 그걸 마다할 마땅한 구실이 없었다. 수상쩍게 보이지 않기 위해서도 찬동하지 않을 수 없었는데, 그걸로 종례 뒤에 따로이 담임 선생님을 만날 길은 절로 막혀 버렸다.

떨떠름한 기분으로 따라나서긴 했어도, 그 오후는 오래오래 기억에 뚜렷할 만큼 별나고도 재미있었다. 석대는 한꺼번에 거의 모두가 따라나서는 반 아이들 중에서 여남은 명만 추렸다. 얼핏 보기에는 마구잡이로 추리는 것 같았으나, 나름으로는 어떤 기준을 두었음이 분명했다.

"너희들, 돈 가진 거 있지?"

미포에 도착해 양지바른 어떤 부서진 공장 건물에

자리 잡자마자, 석대가 아이들을 돌아보며 물었다. 그중
대여섯 명이 주머니를 털어 그 당시 우리로서는 꽤 많은
돈을 모아 바쳤다. 석대는 그중에서 둘을 지목해서
그 돈으로 과자와 사이다를 사 오게 하고, 다시 아이들을
돌아보며 물었다.

"저쪽 물 건너 마을에 사는 게 누구누구야?"

그러자 이번에도 대여섯 명이 나섰다.

"너희들은 지금 집에 가서 땅콩하고 고구마를 가져와.
반장하고 아이들 모두가 자연 관찰 나왔다고 하면,
집에서도 암 말 않고 줄 거야."

석대는 그렇게 시켜 그 애들을 보내고, 마지막으로
나머지 대여섯 명을 돌아보며 말했다.

"너희들은 나무를 주워 와. 햇볕이 따뜻하지만, 곧
쌀쌀해질 거야. 고구마와 땅콩도 구워야 하고."

그때, 이미 제법 석대의 질서에 길들어 있던 나는 나도
당연히 그 나머지에 포함된 줄 알았다. 그래서 그들과
함께 나무를 주워 모으러 가려는데, 석대가 나를
불러 세웠다.

"한병태, 너는 여기 남아. 거들어 줄 게 있어."

나는 거기서 다시 한 번 까닭 없이 찔끔했지만, 그게
순전히 호의에서 나온 것임을 이내 알 만했다. 석대는 돌

몇 개를 옮겨 불 피울 자리를 만든 걸로 제 일을 끝내고, 나와 얘기만 했다. 나를 이런저런 심부름에서 빼낸 준 것 이상의 뜻이 있는 것 같았다. 이를테면, 나도 석대 밑이기는 하지만, 그 애들과 같은 졸병은 아니라든가 하는……

　이윽고 여기저기로 흩어져 갔던 아이들이 돌아오자, 지붕이 날아간 그 부서진 공장은 세상에서 가장 즐거운 놀이터가 되었다. 겨울 아이들에게 잘 핀 모닥불보다 더 재미있고 신나는 놀이감이 또 있을까? 거기다가 그 불에 구워 먹을 땅콩과 고구마가 수북이 쌓여 있고, 또 그게 익을 때까지 입을 다시고도 남을 과자와 사이다가 있었다.

　우리는 거기서 해질 때까지 먹고 마시고 웃고 떠들었다. 말타기도 하고, 술래잡기도 하고, 노래 자랑도 했다. 한 녀석은 바지를 내리고 고추를 꺼내 바이올린을 켜는 시늉을 해 배꼽을 움켜잡게 만들었다. 한 녀석은 두 손을 묘하게 움켜잡아 만든 손나팔로 제법 진짜 나팔 비슷한 소리를 냈고, 다른 한 녀석은 불룩한 배를 드러내 북 대신에 철썩거리고 쳤다. 그 곁에서 몸을 비꼬며 가수 흉내를 내는 녀석에다 물구나무서기와 공중제비를 번갈아 하며 주위를 돌던 녀석……

　그런데 한 가지 특기할 일은, 그날 오후 갑자기 전보다

갑절이나 내게 은근해진 석대의 태도였다. 그는 나를 다른 아이들과는 사뭇 격을 달리해 대접했고, 그곳에서의 놀이도 거의 나를 위한 잔치처럼 진행시켰다. 아니, 그날만은 숫제 나를 자신과 동격으로 올려놓았다는 편이 옳겠다. 지나친 비약이 될지 모르지만, 어쩌면 그 무서운 아이는 내게서 어떤 낌새를 느끼고 나를 구워 삶으려 한 것이나 아니었는지 모르겠다.

여하튼 나는 석대가 맛보여 준 그 특이한 단맛에 흠뻑 취했다. 실제로 그날 어둑해서 집으로 돌아가는 내 머릿속에는 그의 엄청난 비밀을 담임 선생님에게 일러바쳐 무얼 어째 보겠다는 생각 따위는 깨끗이 씻겨지고 없었다. 나는 그의 질서와 왕국이 지속되기를 믿고 바랐으며, 그 안에서 나의 남다른 누림도 그러하기를 또한 믿고 바랐다. 그런데 그로부터 채 넉 달도 되기 전에 그 믿음과 바람은 모두 허망하게 무너져 버리고, 몰락한 석대는 우리들의 세계에서 사라지고 말았다.

너무 갑작스럽고 또 약간은 엉뚱하기도 한 그 기묘한 혁명은 이렇게 시작되었다.

6학년으로 올라가면서 우리는 본격적인 중학 입시(그 당시에는 중학교 입시 제도가 있었다.) 준비에 들어갔고, 담임 선생님도 거기에 맞춰 바뀌었다.

새로 우리 반을 맡게 된 선생님은 사범 대학을 나오신 지 몇 해 안 된 젊은 분이었다. 아직 경험은 많지 않았지만, 그 유능함과 성실함이 인정되어 특별히 6학년 담임으로 발탁된 것이었다.

여럿 가운데 뽑혀 오신 분인 만큼, 새 담임 선생님은 첫날부터 남다른 데가 있었다. 작은 일도 지나쳐 보거나 흘려듣는 일이 없을 뿐만 아니라 느낌도 예민해, 첫 종례 시간에 이미 그분은 우리를 은근히 몰아세웠다.

"이 반은 왜 이리 활기가 없어? 어릿어릿하며 눈치나 슬슬 보고……."

그런 그의 남다른 관찰력은 반을 맡은 지 사흘 만에 벌써 문제의 핵심에 다가들고 있었다. 그날, 6학년 들어 새로운 반장 선거가 있었는데, 석대가 61표 중 59표로 당선되자, 담임 선생님은 벌컥 화를 냈다.

"이 따위 선거가 어디 있어? 무효표와 당선자 본인의 표를 빼면 전원 일치잖아? 선거 다시 해."

그리고 재빨리 실수를 알아차린 석대가 손을 쓴다고 써 다음 선거에서 51표로 떨어뜨려도 마찬가지였다.

"이건 뭐야? 엄석대를 빼면 나머지 아홉은 전부 한 표씩이잖아? 도대체 경쟁자가 없는 선거가 무슨 소용 있어?"

그렇게 화를 내며 엄석대와 우리를 번갈아 쏘아보는
것이었다. 그분도 명백한 선거 결과는 어쩔 수가 없어
엄석대를 반장으로 인정하기는 했지만, 어쩌면 그 기묘한
혁명은 이미 거기서부터 시작됐다고 할 수도 있었다.

"이 못난 것들, 그저 겁만 많아 가지고……."

"눈알 똑바로 두어! 사내 자식들이 흘금흘금 눈치는
무슨……."

다음 날부터 담임 선생님은 틈틈이 우리를 그렇게
몰아세우는 한편, 좀 어렵다 싶은 문제만 나오면 석대를
불러내 풀게 했다. 석대도 위기감을 느낀 듯했다.

제 딴에는 기를 쓰고 대비하는 것 같았지만, 담임
선생님을 만족시키기에는 많이 모자라 보였다. 첫 평가
시험이 있었던 날, 석대에게 준 핀잔이 그 한 예였다.

"엄석대, 너는 어째 시험은 잘 치면서 수업 중에는 그게
뭐야? 영 알 수 없는 놈이잖아."

하지만, 그분도 석대가 하고 있는 엄청난 속임수까지는
생각이 미치지 않는 모양이었다. 언제나 의혹의 눈을
번쩍이면서도, 석대가 이미 확보하고 있는 권위나 우리
학급을 움직이는 기존 질서에 대해서는 인색하게나마
인정을 해 주었다.

그럼에도 불구하고, 담임 선생님의 그 같은 태도는

아이들에게 적지 않은 영향을 주었다. 담임 선생님이
석대의 편이 아니라는 것, 전번 담임 선생님처럼 석대를
턱없이 믿기는커녕 오히려 무언가를 의심하고 있다는
것이 점점 명백해지자, 그전에 내가 그렇게 움직여 보려고
해도 꿈쩍 않던 아이들이 절로 꿈틀대기 시작했다. 감히
정면으로 도전하지는 못해도, 조그마한 반항들이
심심찮게 일었고, 무슨 일이 일어나면 석대보다는 담임
선생님을 먼저 찾는 아이들이 하나둘 늘어갔다.

　거듭거듭 말하지만, 석대는 참으로 무서운 아이였다.
우리보다 나이가 많다 해도 기껏 열대여섯 살의 소년에
지나지 않았건만, 그는 참아야 할 때와 물러나야 하는
곳을 아는 듯했다. 그쪽으로는 본능적으로 발달된 감각을
가진 아이 같았다. 예전 같으면 주먹부터 내지르고 볼
일은 가벼운 눈 흘김으로 대신하고, 눈 흘김으로 대할 일은
너그러운 미소로 대신하며 어렵게 버텨 나갔다. 눈치 빠른
아이들이 '갖다 바치기'를 게을리해도 응징을 자제했고,
"야, 그거 좋은데."와 "그거 좀 빌려줘."란 말은 아예
쓰지도 않았다.

　내 생각에, 그때 석대는 시험지 바꿔치기의 위험도
충분히 알고 있었으리라고 본다. 그러나 그것만은 그만둘
수가 없었을 것이다. 이미 호랑이 등에 올라탄 격이 되어

끝나는 데까지 달려 보는 수밖에 없었다. 공부 쪽을 포기하는 것도 생각할 수 없는 길은 아니지만, 그러기에는 '전교 1등 엄석대'로서 지낸 이 년에 가까운 세월의 부담이 너무 컸다…….

그리하여 마침내 일이 터진 것은 3월 말의 첫 시험 성적이 발표되던 날이었다. 그날, 화가 나 새파랗게 된 얼굴로 아침 조례를 들어온 담임 선생님은 대뜸 우리들의 성적부터 불러 준 뒤에 차갑게 말했다.

"엄석대는 평균 98점으로 전 학년에서 1등을 했고, 나머지는 모두가 전 학년 10등 밖이다. 나는 오늘 이 수수께끼를 풀어야겠다."

그리고 갑자기 매서운 목소리로 엄석대를 불러냈다.

"교단 모서리를 짚고 엎드려 뻗쳐."

엄석대가 애써 태연한 표정을 지으며 교탁 앞으로 나가자, 담임 선생님은 아무런 앞뒤 설명 없이 그렇게 명령했다. 그리고 엄석대가 엎드리자, 출석부와 함께 들고 온 굵은 매로 그의 엉덩이를 모질게 내리쳤다.

갑자기 찬물을 끼얹은 듯 조용해진 교실 안은 매질 소리와 신음을 참는 석대의 거친 숨소리로 가득했다. 나로서는 처음 보는 모진 매질이었다. 어린애 팔목만하던 매는 금세 끝이 갈라지고, 조각조각 떨어져 나갔다.

그러나 그런 모진 매질보다 내게 더욱 충격적인 것은 석대가 매를 맞고 있다는 사실 그 자체였다.

석대도 매를 맞는다. 저토록 비참하고 무력하게. 그것은 나뿐만 아니라 우리 반 아이들 모두에게 충격이었을 것이다. 그리고 그때, 담임 선생님이 노린 것도 바로 그런 충격이었음에 틀림없다. 그사이 담임 선생님의 손에 들린 매는 반 토막으로 줄어 있었으나, 매질은 멈춰지지 않았다. 아픔을 못 이겨 몸을 비틀면서도 어지간히 견디던 석대도 마침내는 교실 바닥에 엎어지며 괴로운 신음을 뱉어 냈다.

담임 선생님은 그때를 기다리고 있었던 듯했다. 쓰러진 석대를 그대로 두고 교탁으로 가더니, 석대의 시험지를 찾아 다시 엎드려 뻗쳐를 하고 있는 석대 곁으로 갔다.

"엄석대, 여기를 잘 봐. 여기 이름 쓴 데 지우개 자국이 보이지?"

그제서야 나는 담임 선생님이 드디어 석대의 비밀을 눈치챘음을 알았다. 그러자 문득 석대를 향한 동정이나 근심보다는 일의 결말이 더 궁금해지기 시작했다. 석대가 그 전 라이터 사건 때처럼 자신의 잘못을 부인하고, 아이들도 그때처럼 입을 모아 그를 뒷받침해 준다면 어떻게 될까 하는 것이었다.

"잘못…… 했습니다."

한참 뒤에 들리는 석대의 대답은 실망스럽게도 그랬다. 아무래도 그는 열대여섯 살의 소년에 지나지 않았고, 또 굴복하기 쉬운 육체를 지닌 인간이었다. 어쩌면 담임 선생님의 그 모진 매질은 다른 번거로운 절차 없이 그에게서 바로 그 말을 끌어내기 위한 것이었는지도 모를 일이었다.

석대의 그 같은 말이 들리자, 아이들 사이에는 다시 한차례 눈에 보이지 않는 동요가 일었다. 석대도 항복을 한다. 결코 있을 것 같지 않던 그런 일이 눈앞에서 벌어진 데서 온 충격 때문이었을 것이다. 나도 그랬다. 그 말을 듣는 순간, 자신도 모르게 몸을 움찔했을 정도였다.

그 담임 선생님이 받은 유능하다는 평판은 두뇌가 조직적이고 치밀하다는 뜻이 아니었는지 모르겠다. 바라던 굴복을 받아 내자, 담임 선생님은 석대에게 거의 생각할 틈을 주지 않고 다음 단계로 들어갔다.

"좋아, 그럼 교탁 위로 올라가 꿇어앉고 손 들어."

담임 선생님은 금세라도 모진 매질을 다시 시작할 듯, 석대에게로 다가가며 그렇게 명령했다. 지금 돌이켜 보면, 그때 아마도 석대는 기습과도 같은 매질에 잠시 얼이 빠졌던 듯싶다. 채찍에 몰린 맹수처럼 어기적거리며 교탁 위로 올라가 두 손을 들고 꿇어앉았다.

　그런 석대를 보며 나는 또 한 번 이상한 경험을 했다.
그전의 석대는 키나 몸집이 담임 선생님과 비슷하게
보였고, 따로 떼어 놓고 생각하면 오히려 석대 쪽이 더 큰
것처럼 느껴지기까지 했다. 그런데 그날 교탁 위에
꿇어앉은 석대는 갑자기 자그마해져 있었다. 어제까지의
크고 건장했던 우리 반 반장은 간 곳 없고, 우리 또래의
평범한 소년 하나가 볼품없이 벌을 받고 있을 뿐이었다.
거기 비해 담임 선생님의 키와 몸집은 갑자기 갑절이나
늘어난 듯했다. 그리하여 무슨 일이든 거뜬히 해낼 것
같은 거인처럼 우리를 내려보고 서 있는 것이었다.
이 또한 짐작에 지나지 않지만, 그 같은 느낌은 다른
아이들에게도 마찬가지였을 것이고, 어쩌면 담임
선생님은 처음부터 그걸 노렸는지도 모를 일이었다.

　"박원하, 황영수, 이치규, 김문세……."

　이어 담임 선생님은 다시 여섯 명의 아이들을 불러
냈다. 모두 번갈아가며 석대의 대리 시험을 쳐 준 우리
반의 우등생들이었다. 낯이 하얗게 질린 그 애들이
쭈뼛거리며 교탁 앞으로 나서자, 담임 선생님이 약간
목소리를 누그러뜨려 말했다.

　"나는 너희들이 지난 한 달의 각종 시험에서 번갈아 가며

자신의 이름을 지우고, 다른 이름을 써서 낸 걸 알고 있다. 어쩔래? 맞고 입을 열래? 좋게 물을 때, 바로 댈래? 그게 누구야? 누구와 시험 점수를 바꾼 거야?"

그런데 담임 선생님의 그 같은 물음이 채 끝나기도 전이었다. 엄석대가 그때껏 초점을 잃고 반쯤 감고 있던 눈을 번쩍 치켜뜨며 갑자기 무서운 빛을 뿜었다. 들고 있는 팔의 무게로 처져 있던 그의 어깨도 어느새 꼿꼿하게 세워져 있었다. 그걸 본 아이들이 움찔했다. 그러나 대세는 이미 기울어진 뒤였다. 아이들은 이미 석대가 약한 걸 보았고, 따라서 서슴지 않고 강한 담임 선생님을 택했다.

"엄석댑니다."

아이들이 입을 모아 그렇게 대답하자, 석대는 괴로운 듯 눈을 질끈 감았다. 분명히 석대의 입은 굳게 다물어져 있었지만, 나는 몸속 깊은 곳에서 새어 나오는 그의 신음 소리를 들은 듯했다.

"좋아, 그럼 어째서 그런 짓을 하게 됐는지, 황영수부터 말해 봐."

담임 선생님은 한층 목소리를 부드럽게 해서 달래듯 말했다. 매를 축 늘어뜨리고 말하는 폼이, 너희들은 바로 대답하기만 하면 용서해 줄 수도 있다고 하는 것 같았다.

거기 희망을 건 아이들이 석대의 존재는 거의 무시한 채
제각기 이유를 댔다. 때릴까 겁이 나서, 아무것도 아닌 걸
위반으로 걸어 벌주기 때문에, 놀이에서 따돌림받기
싫어서 등등, 대개 나도 겪은 이유들이었다.

"그래, 그동안 기분이 어땠어?"

담임 선생님이 다시 그렇게 물었다. 이번에도 아이들은
숨김 없이 속을 털어놓았다. 잘못했습니다,
죄스러웠습니다가 절반, 선생님께 들킬까 봐
겁났습니다가 절반이었다. 그런데 참으로 알 수 없는 것은
담임 선생님이었다. 마지막 아이의 말이 끝나는 순간,
선생님의 표정이 험하게 일그러졌다.

"그래애?"

담임 선생님은 비꼬듯 내뱉으며 그들 여섯을 차갑게
쏘아보다가, 갑자기 우리 모두가 흠칫할 만큼 목소리를
높였다.

"모두 교단을 짚고 엎드려 뻗쳐!"

그러고는 한 사람 앞에 열 대씩 매질을 해 나가기
시작했다. 맞는 동안에 두어 번씩은 몸이 교실 바닥으로
내려앉을 만큼 모진 매질이었다. 매질이 끝나자, 교실
안은 한동안 그들의 훌쩍거림으로 시끄러웠다.

"모두 일어나!"

이윽고 훌쩍거림이 잦아들자, 담임 선생님은 그들 여섯을 일으켜 세우고 간신히 성을 가라앉힌 목소리로 말했다.

　"나는 되도록이면 너희들에게 손을 안 대려고 했다. 석대의 강압에 못 이겨 시험지를 바꿔 준 것 자체는 용서할 수도 있었다. 그러나 그동안 너희들의 느낌이 어떠했는가를 듣게 되자, 그냥 참을 수가 없었다. 너희들은 당연한 너희 몫을 빼앗기고도 분한 줄 몰랐고, 불의한 힘 앞에 굴복하고도 부끄러운 줄 몰랐다. 그것도 한 학급의 우등생인 녀석들이……. 만약 너희들이 계속해 그런 정신으로 살아간다면, 앞으로 맛보게 될 아픔은 오늘 내게 맞은 것과는 견줄 수도 없을 만큼 클 것이다. 그런 너희들이 어른이 되어 만들 세상은 상상만으로도 끔찍하다. 모두 교단 위에 손 들고 꿇어앉아 다시 한 번 스스로를 반성하도록."

　아마도 그때 담임 선생님은 우리에게 지나치게 어려운 걸 가르치려고 했던 것이 아닌지 모르겠다. 우리 중 누구도 그 자리에서는 그 말의 참뜻을 알아듣지 못했고, 더러는 30년이 지난 지금에조차 그 말뜻을 다 이해한 것 같지 않다.

　담임 선생님이 드디어 자리에 앉아 있는 우리

모두에게로 돌아선 것은, 그 여섯
명이 눈물로 범벅진 얼굴이 되어
교단 위에 나란히 꿇어앉은
다음이었다.
　"지금껏 선생님이 알아낸 것은,
석대와 저 아이들이 시험지를 바꾸어
공정한 채점을 방해한 것뿐이다. 하지만, 그것만으로는
아직 넉넉하지 못하다. 우리 반을 새롭게 만들어 나가기

위해서는 먼저 잘못된 지난날부터
정리해야 한다. 내 짐작으로는 그 밖에도
석대가 한 나쁜 짓들이 많이 있을 것이다.
이제 1번부터 차례로 자신이 알고 있는
석대의 잘못이나 석대에게 당한 괴로운 일들을 있는 대로
모두 얘기해 주기 바란다.”
　이번에도 시작은 부드러운 목소리였다. 그러나 다시
눈을 부릅뜨고 쏘아보는 석대의 눈길에 흠칫해진

아이들이 머뭇거리자, 그 목소리에는 이내 날이 섰다.

"5학년 때 담임 선생님께 작년에 있었던 일에 대한 얘기를 들었다. 그분의 말씀으로는 그때 아무도 석대의 잘못을 써내 주지 않아 이 학급에 아무런 문제가 없는 줄 알고 계속해 석대를 믿게 되었다고 하셨다. 오늘 나도 마찬가지다. 너희들이 석대의 다른 잘못들을 알려 주지 않는다면, 이제 시험지 바꾼 일에 대한 벌은 끝났으니,

나머지는 지금까지 지내 온 대로 다시 석대에게 맡길 수밖에 없다. 그래도 좋겠나? 1번, 우선 너부터 말해 봐."

그 말은 금세 효과를 냈다. 실은 아이들도

내가 늘 얕봤던 것처럼 맹탕은 아니었다. 다만 서로 힘을 합칠 줄 몰랐을 뿐, 마음속에서 불태우던 분노와 굴욕감은 한참 석대와 맞서고 있을 때의 나와 크게 다르지 않음이 분명했다. 변혁에 대한 열렬한 기대도 마찬가지였다.

그리하여 이제 문턱까지 이른 변혁이 다시 뒷걸음치려 하자, 모두 용기를 짜내 거기 매달렸다.

"석대는 내 연필깎이를 빌려 가 돌려주지 않았습니다. 단속

주간이 아닌데도 쇠구슬을 뺏어 가고…….”

1번 아이가 그렇게 입을 열자, 2번 아이도 아는 대로 털어놓기 시작했다. 봇물처럼 쏟아지기 시작한 석대의 비행은 끝없이 이어졌다. 여자아이들의 치마를 들추게 시켰다든가 하는 따위의 성적인 것도 있었으며, 장삿집 애들은 매주 얼마씩 돈을 바치게 하고, 농사짓는 집 아이들에게는 과일이나 곡식을, 대장간집 아이에게는 돈이 될 만한 철물을 가져오게 하는 등 경제적인 수탈도 있었다. 돈을 받고 분단장을 시켜 준 일이며, 환경 정리를 한다고 비품 구입비를 거두어 일부를 빼돌린 게 밝혀졌고, 그 전해 한 학기 동안 자신이 직접 나서지 않고도 나를 괴롭힌 일도 대강은 드러났다.

그런데 한 가지 묘한 것은 그런 것을 고발하는 아이들의 태도였다. 처음에는 마지못해 선생님만 쳐다보고 머뭇머뭇 밝히다가 한 번호 한 번호 뒤로 갈수록 차츰 목소리가 커지면서, 눈을 번쩍이며 쏘아보는 석대를 향해 말하기 시작했다. 그리고 나중에는 ‘인마’, ‘새끼’ 같은, 전에는 감히 입 끝에 올려 보지도 못한 엄청난 욕들을 섞어, 선생님에게 고발한다기보다는 석대에게 바로 퍼 대는 것이었다.

이윽고 39번인 내 차례가 왔다.

"저는 잘 모릅니다."

내가 선생님을 쳐다보고 그렇게 말하자, 순간 교실 안이 조용해졌다. 그러나 그것도 잠시, 담임 선생님보다 먼저 아이들이 와 하고 내게 덤벼들었다.

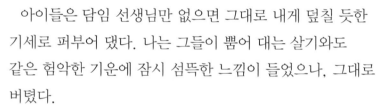

"너 정말 몰라?"

"저 자식, 순 석대 꼬붕이⋯⋯."

"넌 인마, 쓸개도 없어?"

아이들은 담임 선생님만 없으면 그대로 내게 덮칠 듯한 기세로 퍼부어 댔다. 나는 그들이 뿜어 대는 살기와도 같은 험악한 기운에 잠시 섬뜩한 느낌이 들었으나, 그대로 버텼다.

"정말로 모릅니다. 전학 온 지 얼마 안 돼서⋯⋯."

내가 그들 쪽은 보지도 않고 선생님만 바라보며 다시 그렇게 말하자, 아이들은 한층 험한 기세로 나를 몰아세웠다. 그때, 알 수 없는 눈길로 나를 가만히 살피던 선생님이 그런 아이들을 진정시켰다.

"알겠어. 다음, 40번."

내가 석대의 비행에 대해 잘 모른다고 한 것은 진심과

오기가 반반 섞인 말이었다. 내가 마지막 서너 달은
석대와 유난히 가깝게 지낸 것은 사실이었지만, 그때에도
그는 어찌된 셈인지 자신의 치부만은 애써 감추었다.
첫 한 학기 동안 그에게서 받은 피해도 모두 다른 아이들에
의한 것이어서 내게는 증거가 없었으며, 또 그 대부분은
이미 다른 아이들의 입으로 들추어진 뒤였다. 게다가,
5학년 한 해 동안 학급에서의 내 위치로는 구석구석
숨겨진 석대의 비행을 알아낼 수가 없었다. 그 한 해의
절반은 내가 석대의 유일한 적대자였기 때문에, 그리고
다른 절반은 내가 그의 한쪽 팔처럼 되었기 때문에 속을
터놓고 지낼 친구들을 얻을 수가 없었고, 그래서 어디엔가
불의가 존재한다는 막연한 느낌뿐, 교실 구석에서
은밀하게 벌어지는 일들을 알 수가 없었던 것이다.
　오기는 그날 내 앞 번호까지의 아이들이 석대를
고발하는 태도 때문에 생긴 것이었다. 석대의 나쁜 짓을
까발리고 들춰내는 데 가장 열정적이고 공격적인
아이들은 대개 두 부류였다. 하나는 간절히 석대의 총애를
받기 원했으나 이런저런 까닭으로 끝내는 실패한
부류였고, 다른 하나는 그날 아침까지도 석대 곁에 붙어
그 숱한 나쁜 짓에 그의 손발 노릇을 하던 부류였다.
　한 인간이 잘못을 뉘우치는 데 꼭 긴 세월이 필요한

것은 아니며, 백정도 칼을 버리면 부처가 될 수 있다고도 하지만, 나는 아무래도 느닷없는 그들의 정의감이 미덥지 않았다. 나는 지금도 자신이 믿어 오던 종교를 갑작스럽게 바꾸는 사람이나, 사상을 한순간에 바꾸어 버리는 사람을 믿지 못하고 있다. 특히, 그들이 남 앞에 나서서 설쳐 대면 설쳐 댈수록, 내가 굳이 석대를 고발하려 들면 거리가 전혀 없는 것은 아니었지만, 그날 끝내 입을 다문 것은 그런 아이들에 대한 반발로 오기가 생긴 때문이었다. 내 눈에는 그 애들이 석대가 쓰러진 걸 보고서야 덤벼들어 등을 밟아 대는 교활하고도 비열한 변절자로밖에 비치지 않았다.

마지막 아이가 고발을 끝냈을 때, 어느새 첫째 시간 수업이 끝났음을 알리는 종이 울리고 있었다. 그러나 담임 선생님은 그 종소리를 무시하고 우리에게 말했다.

"좋다. 너희들이 용기를 되찾은 걸 선생님은 다행으로 생각한다. 이제는 앞으로의 일은 너희 손에 맡겨도 될 것 같아 마음 든든하다. 그렇지만 너희들도 값은 치러야 한다. 첫째로는 지난날 너희들이 저지른 비겁함에 대한 값이고, 둘째로는 앞으로의 삶에 주는 교훈의 값이다. 한번 잃은 것은 결코 찾기가 쉽지 않다. 이 기회에 너희들이 그걸 배워 두지 않으면, 앞으로 또 이런 일이

벌어져도 너희들은 나 같은 선생님만 기다리고 있게 될
것이다. 괴롭고 힘들더라도 스스로 일어나 되찾지 못하고,
언제나 남이 찾아 주기만을 기다리게 된다."

그렇게 말을 맺은 담임 선생님은 청소 도구함 쪽으로
가서 참나무로 된 걸렛대를 하나 빼내 들었다. 그리고
다시 교단 앞에 서더니 나직이 명령했다.

"1번부터 한 사람씩 차례로 나와."

그날, 우리 모두에게 돌아온 매는 한 사람 앞에 다섯
대씩이었다. 앞의 아이들을 때릴 때와 다름없이 모진
매질이어서 교실은 또 한 번 울음바다를 이루었다.

"자, 이제 선생님이 너희들을 위해 해 줄 수 있는 일은
다 끝났다. 모두 제자리로 돌아가라. 엄석대도. 그리고
이제부터는 너희들끼리 의논해서 다른 그 어떤 반보다
훌륭한 반을 만들어 봐라. 너희들은 이미 회의 진행
방법도 배웠고, 의사를 결정짓는 과정과 투표에 대해서도
알 것이다. 지금부터 나는 그냥 곁에 앉아 지켜보기만
하겠다."

매질을 끝낸 선생님은 갑자기 지친 듯한 표정으로
그렇게 말하고, 교실 한구석에 있는 교사용 의자에 가
앉았다. 손수건을 꺼내 이마에 흐르는 땀을 닦는 것만
보아도 우리가 당한 매질이 얼마나 호된 것이었는가를 잘

알 수 있었다.

　그곳 아이들은 학급 자치회의 운영 방식을 전혀
모르거나 까맣게 잊어버린 걸로 알았는데, 막상 기회가
주어지니 그렇지도 않았다. 분위기가 약간 어색하고
행동들이 서툴기는 해도, 그런 대로 서울 아이들 흉내는
낼 줄 알았다. 쭈뼛거리며 말을 더듬던 것도 잠시.
아이들은 금세 자신을 회복해, 동의하고 재청하고
찬성하고 투표했다. 그래서 먼저 임시 의장단을
구성하기로 결정하고, 그들의 선거 관리 아래 자치회
의장단이자 학급의 임원진을 새로 뽑기로 했다.

　어떻게 보면 아무래도 혁명적이 못 되는 석대의 몰락을
내가 굳이 혁명이라고 표현한 것은 실은 그때문이었다.
비록 구체제에 해당하는 석대의 질서를 무너뜨린 힘과
의지는 담임 선생님으로부터 빚어진 것이지만, 새로운
제도와 질서를 건설한 것은 틀림없이 우리들 자신의 힘과
의지였다. 게다가, 되도록이면 그날의 일을 우리들의
자발적인 의지와 스스로의 역량에 의해 쟁취된 것으로
기억되게 하려고 애쓰신 담임 선생님의 깊은 배려를
존중하여, 나는 이런저런 구차한 수식어를 더해
가면서까지도 굳이 혁명이란 말을 썼던 것이다.

　임시 의장은 부반장이던 김문세가 거수 표결로 뽑혔고,

김문세의 재청에 의해 검표와 기록을 맡을 임시 의장단이
번거로운 선거 없이 무더기로 선출되었다. 다섯 번이나
선거를 거치는 대신, 일정한 숫자로 끝나는 번호를 가진
아이들에게 그 일을 맡기자는 임시 의장의 의견을
아이들이 받아들여, 번호의 끝자리 숫자가 5인 다섯 명을
역시 거수표로 한꺼번에 결정한 것이었다.

뒤이어 두 시간에 걸친 선거가 실시되었다. 전에는
반장, 부반장, 총무만 선거로 뽑았으나, 이번에는
자치회의 부장들과 학급의 분단장까지도 선거로 뽑게
되었다. 그 뒤 한동안 우리 반을 혼란스럽게 만든 선거
만능 풍조의 시작이었다.

그런데 반장 선거의 개표가 거의 끝나 갈 무렵이었다.
추천제도 없이 바로 하게 된 선거라 반 아이 절반쯤의
이름이 흑판 위에서 도토리 키 재기를 하고 있는데, 갑자기
거세게 교실 뒷문이 열리는 소리가 들렸다. 모두 흑판
위에서 불어 가는 正자에 정신이 팔려 있다가
놀라 돌아보니, 엄석대가 그 문을 나가다
말고 우리를 무섭게 흘겨보며 소리쳤다.

"잘 해 봐, 이 새끼들아!"

그리고 잽싸게 복도로 뛰어
달아나는 것이었다.

우리들을 지켜보느라 잠깐 엄석대를 잊고 있었던 담임 선생님이 급하게 그의 이름을 부르며 뒤쫓아 나갔으나, 끝내 붙잡지 못했다.

그 갑작스러운 일에 아이들은 잠깐 흠칫했지만 개표는 다시 계속되었고, 곧 결과가 나왔다. 김문세, 박원하, 황영수의 순으로 표가 모아졌다. 그리고 5표, 4표, 3표, 1표짜리가 대여섯 나오더니, 무효표도 둘이 나왔다.

석대의 표는 단 하나도 없었다. 아마도 석대는 그런 굴욕적인 개표 결과가 확정되는 걸 참고 기다리지 못해 뛰쳐나갔을 것이다. 그러나 뛰쳐나간 것은 그 굴욕의 순간으로부터만은 아니었다. 그 뒤, 그는 영영 학교와 우리들에게는 돌아오지 않았다.

그런데 부끄럽지만, 여기서 한 가지 밝혀 두고 싶은 것은 그 무효표 두 표이다. 한 표는 틀림없이 석대 자신의 것이었고, 다른 한 표는 바로 내 것이었다. 그러나 그것을 여러 혁명에서 보이는 반동과 같은 유형으로 볼 수는 없는 것이, 나는 이미 무너져 내린 석대의 질서에 연연해 하거나 그 힘에 향수를 품고 그런 것은 아니었다. 그때에는 이미 담임 선생님이 은연중에 불 지핀 그 혁명의 열기가 내게도 서서히 번져 와, 나도 새로 건설될 우리 반에 다른 아이들 못지않은 기대를 가지게 되었다.

126

하지만, 막상 우리 반을 이끌 지도자를 선택해야 할 순간이 되자, 나는 갑자기 난감해졌다. 공부에서건 싸움에서건 또 다른 재능에서건, 남보다 나은 아이들은 모두 석대가 받을 비난에서 자유로울 수 없었다. 오히려 대리 시험으로 석대가 그 전 담임 선생님의 믿음과 총애를 훔치는 걸 돕거나, 석대의 보이지 않는 손발이 되어 옳지 못한 그의 질서가 가차없이 우리 반을 위압하도록 만들어 준 것은 바로 그들이었다. 내가 혼자서 그렇게 힘겹게 석대에게 저항하고 있을 때, 가장 나를 괴롭게 한 것도 그들이었고, 갑작스러운 반전으로 내가 석대의 가장 가까운 측근이 되었을 때, 가장 많이 부러워하거나 시기한 것도 그들이었다.

그렇다고 6학년이면서도 아직 구구단도 제대로 외지 못하는 돌대가리나, 싸움도 하기 전에 눈물부터 보여 앞줄의 꼬맹이들에게까지 업신여김을 당하는 허풍선이를 반장으로 세울 수도 없었다. 더구나, 그 아침까지도 석대가 보장해 주는 특전에 만족해 있던 나 자신을 내세울 수는 없는 일이었다. 그래서 정직하게 던진 표가 무효를 가장한 기권표였다. 변혁을 선뜻 받아들이지 못하는 내 불행한 성격은 어쩌면 그때부터 싹튼 것이 아닌지 모르겠다.

하지만, 내 기분이야 어찌 됐건, 그날의 선거는 모두가
순조롭게 진행되었고, 우리는 분단장까지 분단원의
투표로 뽑을 만큼 철저하게 우리 손으로 우리의 대표를
뽑았다. 우리를 규율하는 질서도 많은 부분이 새롭게
바뀌었다. 서울에서의 기억이 무색할 만큼 모든 것은
토의와 표결에 붙여지고, 그 결과 학교와 담임
선생님으로부터 오는 것 외에는 어떠한 강제도
철폐되었다.

물론 혁명에 따르는 혼란은 우리에게도 있었다. 아니,
그저 단순히 있었다는 것 이상으로, 우리는 그 뒤
몇 개월에 걸쳐 처음과 끝을 온전한 우리의 힘만으로
달성하지 못한 그 혁명의 대가를 안팎으로 호되게 치러야
했다.

교실 안에서 우리를 가장 혼란스럽게 한 것은, 우리
의식의 차이였다. 선생님의 격려와 근거 없는 승리감에
취한 우리 중 일부는 지나치게 앞으로 내달았고, 아직도
석대의 질서가 주던 중압감에서 벗어나지 못한 아이들은
또 너무 뒤처져 미적거렸다. 임원진으로 뽑힌 아이들도
마찬가지였다. 어른들식으로 표현하면, 한쪽은 너무
민주의 뜻에 충실해 갈팡질팡하는 다수와 함께
우왕좌왕했고, 또 한쪽은 석대식의 권위주의를 청산하지

못해 은근히 작은 석대를 꿈꾸었다. 게다가, 새로 생긴
건의함은 올바른 기능을 하기보다는 밀고와 모함으로
일주일에 하나씩은 임원들을 갈아 치웠다.
   학교 밖에서 우리를 괴롭힌 것은 대담하고
잔혹하기 이를 데 없는 석대의
보복이었다.

석대가 떠난 뒤로 한 달 가까이 우리 교실은 매일같이
어딘가 한 모퉁이는 자리가 비었다. 석대가 길목을 막고
있는 동네의 아이들이 결석하기 때문이었는데, 그때 그
아이들이 입게 되는 피해는 하루 결석 정도로 그치지
않았다. 어딘가 후미진 곳으로 끌려가 하루 한나절 배신의
대가를 치렀고, 그렇게까지는 안 돼도 가방이 예리한 칼로
찢기거나, 책과 도시락을 든 채 수챗구덩이에 던져지기도
했다. 나중에는 석대를 몰아낸 걸 아이들이 공공연히
후회할 만큼 그 보복은 끈질기고 집요했다.

그렇지만 시간이 흐르면서 안팎의 도전들은 차츰
해결되어 갔다.

먼저 해결된 것은 석대 쪽이었는데, 그 해결을 유도한
담임 선생님의 방식은 좀 특이했다. 우리로서는 달리
방법이 없는 일이었건만, 어찌 된 셈인지 담임 선생님은
석대 때문에 결석한 아이들을 그 어느 때보다 호된 매질과
꾸지람으로 다뤘다.

"다섯 놈이 하나한테 하루 종일 끌려다녀? 병신 같은
자식들."

"너희들은 두 손 묶어 놓고 있었어? 멍청한 놈들."

그렇게 소리치며 마구 매질을 해 멜 때에는 마치 사람이
갑자기 변한 것처럼 보였다. 우리는 영문을 몰랐으나,

그 효과는 오래지 않아 나타났다. 우리 중에서는 좀 별나고 당찬 소전 거리 아이들 다섯 명이 마침내 석대와 맞붙은 일이 벌어졌다. 석대는 전에 없이 사납게 굴었지만, 상대편 아이들도 이판사판으로 덤비자, 결국은 혼자서 다섯을 당해 내지 못하고 꽁무니를 뺐다. 선생님은 그 아이들에게 그 당시 한창 인기 있던 케네디 대통령의 "용기 있는 사람들"이란 책 한 권씩을 나눠 주며, 우리 모두가 부러워할 만큼 여럿 앞에서 그들을 치켜세웠다. 그러자 다음 날, 미창 쪽에서도 똑같은 일이 벌어졌고, 그 뒤 석대는 두 번 다시 아이들 앞에 나타나지 않았다.

거기에 비해 우리 내부에서 일어나는 혼란을 대하는 담임 선생님의 태도는 또 전혀 달랐다. 잘못된 이해나 엇갈리는 생각 때문에 아무리 교실 안이 시끄럽고 학급의 일이 갈팡질팡해도, 담임 선생님은 철저하게 모르는 척했다. 토요일 오후 자치회가 끝없는 입씨름으로 서너 시간씩 계속돼도, 반장, 부반장이 건의함을 통해 밀고된 대단치 않은 잘못으로 한 달에 한 번씩 갈리는 소동이 나도 언제나 가만히 지켜보고 있을 뿐, 충고 한마디 하는 법이 없었다.

그 바람에 우리 학급이 정상으로 돌아가는 데에는 거의 한 학기가 다 지난 뒤였다. 여름 방학이 지나자, 벌써 서너 달 앞으로 닥친 중학교 진학 준비로 아이들의 관심이 온통 그리로 쏠린 까닭도 있지만, 그보다는 경험에서 얻은 교훈이 자정 능력을 길러 준 덕분이 아닌가 한다. 서로 다투고 따지고 부대끼고 시달리는 그 대여섯 달 동안에 우리는 차츰 스스로가 스스로를 규율한다는 게 어떤 것인가를 배우게 된 것이었다. 하지만, 그때껏 그런 우리를 지켜보기만 했던 담임 선생님의 깊은 뜻을 이해하는 데에는 아직도 훨씬 더 많은 세월이 지나야 했다.

학급 생활이 정상으로 돌아감과 아울러, 굴절되었던 내 의식도 차츰 원래대로 회복되어 갔다. 다시 어른들식으로 표현하면, 새로운 반장 선거에서 기권표를 던질 때만 해도 머뭇거리던 내 시민 의식은 오래지 않아 자신과 희망을 가지게 되었고, 자유와 합리에 대한 예전의 믿음도 되살아났다. 가끔씩, 이를테면 내가 듣기에는 더할 나위 없는 의견 같은데도, 말도 안 되는 따지기로 회의만 끝없이 늘여 놓는 아이들을 볼 때나, 다 같이 힘을 합쳐야 할 작업임에도 요리조리 빠져나가 우리 반을 처지게 만드는 아이들을 보게 될 때에는 석대의 질서가 가졌던 편의와 효용성을 떠올릴 때가 있었지만, 그것도 금지돼 있기에 더 커지는 유혹 같은 것에 지나지 않았다.

석대는 미창 쪽 아이들과의 싸움이 있고 난 뒤,
우리들뿐만 아니라 그 작은 읍에서도 사라져 버렸다. 얼마
후 들리는 소문으로는 서울에 있는 어머니를 찾아갔다는
것이었다. 남편이 일찍 죽자, 어린 석대를 할머니,
할아버지에게 떼어 놓고 개가해 버렸다던 그의
어머니였다.

　그 뒤, 내 삶도 숨 가빴다. 학교와 부모의 성화 속에 남은
학기를 어떻게 보냈는지조차 모르게 입시 공부에
허덕이며 보낸 덕으로 나는 겨우 괜찮은 중학교에 들어갈
수 있었고, 그때를 시작으로 경쟁과 시험 속에서 10년이
흘러갔다. 따라서, 한동안은 제법 생생했던 석대의 기억은

차차 희미해지고, 힘들게 힘들게 일류 고등학교와 일류
대학을 거쳐 사회에 나왔을 때에는 짧은 악몽 속에서나
퍼뜩 나타났다 사라지는 의미 없는 환영에 지나지 않게
되었다. 하지만, 내가 석대를 잊게 된 것은 반드시 내 삶이
숨 가쁘고 힘겨웠기 때문만은 아니었다. 그보다는 그
동안의 내 환경에 그 시절을 상기시킬 만한 일이 거의
없었기 때문이다. 일류와 일류, 모범생과 모범생의 집단을
거쳐 자라 가는 동안 나는 두 번 다시 그 같은 억눌림이나
가치 박탈의 체험을 겪지 않았기 때문이었다. 재능과 노력,
특히 정신적인 능력과 학문에 대한 깊이로 모든 서열이
정해지고, 자율과 합리에 지배되는 곳들만을 지나와,
그때까지도 석대는 여전히 부정적인 이미지로 묻혀 있을
수밖에 없었다.

　그러다가, 석대가 다시 생각나기 시작한 것은, 군대를
거쳐 사회에 나온 내가 10년 가까이 어려운 생활을 겪고
있을 때였다. 처음에 일류 학교 출신답게 대기업에
들어갔던 나는 2년 만에 모래 위에 세운 궁궐같이만
느껴지는 그곳을 떠나 고급 세일즈맨으로 재출발했다.
근무하기에 자유롭지도 않고, 경영이 합리적이지도
않으며, 성장 과정조차 정의롭지 못한 집단 속에서 젊음과
재능을 낭비하고 싶지 않아서였다. 나는 머지않아 닥쳐올

세일즈맨의 시대를 꿈꾸며 3년 가까이 이 나라의
대기업들이 만든 갖가지 허위와 과대 선전에 찬 상품들을
열심히 팔았다. 약품과 보험과 자동차의 상품 카탈로그를
가방 가득 넣고 뛰어다니는 사이에 내 청춘이 지나가고
있었다. 그리하여 결국 세일즈맨은 그 자체가 한 고객에
지나지 않거나, 기껏해야 2년 정도면 수명이 다하는
대기업의 일회용 소모품에 지나지 않음을 깨달았을
때에는 벌써 30대 중반으로 접어든 협수룩한 가장이 되어
있었다.

　나는 그제서야 놀라 주위를 돌아보았다. 모래 위의
궁궐같이만 느껴지던 대기업은 점점 번창하기만 했고,
거기 남아 있던 옛 동료들은 대리로 과장으로 승진하여
반짝반짝 윤기가 돌았다. 어떤 동창은 부동산에 손을 대
큰돈을 벌었고, 오퍼상인가 뭔가 하는 작은 사업을
시작했던 친구는 용도도 쉬이 짐작되지 않는 어떤
상품으로 떼돈을 움켜쥐고 거들먹거렸다. 군인이 된 줄
알았던 동창은 난데없이 중앙 부처의 괜찮은 자리에 올라
있었으며, 재수마저 실패해 이름뿐인 대학에 들어갔던
녀석은 어물쩍 미국 박사가 되어 제법 교수티를 냈다.

　나는 급했다. 그때, 이미 내 관심은 그런 성공의 온당치
못한 과정이나 그걸 가능하게 한 사회 구조가 아니라,

그들이 누리고 있는 경제적인 풍요 쪽이었다. 한마디로
말해, 나도 어서 그들의 풍성한 식탁 모퉁이에 끼어들고
싶었다. 그러나 그 조급함이 나를 한층 더 곤궁 속에
빠져들게 했다. 겨우겨우 마련한 열아홉 평 아파트를
팔고, 이 돈 저 돈 마구 끌어 벌인 모험 사업의 대리점은
나를 두 칸 전세방에 들어앉은 실업자로 만들어 버리는
것으로 끝났다.

　실업자가 되어 한 발 물러서서 보니, 세상이 한층 잘
보였다. 내가 갑자기 낯설고 이상한 곳으로 전학 온 듯한
느낌을 가지게 된 것은 그 무렵이었다. 그전 학교에서의
성적이나 거기서 빛났던 내 자랑들은 아무런 소용이 없고,
그들만의 질서로 다스려지는 어떤
가혹한 왕국에 내던져진
느낌이었다. 그리고
거기서 엄석대는 아득한
과거로부터 되살아
나왔다.

　'이런 세상이라면
석대는 어디선가 틀림없이
다시 반장이 되었을
것이다.'

나는 그렇게 단정했다. 공부의 석차도 싸움의 순위도
그의 조작에 따라 결정되고, 가짐도 누림도 그의 의사에
따라 분배되는 어떤 반. 때로 나는 운 좋게 그 반을 찾아
내 옛날처럼 석대 곁에서 모든 걸 함께 누리는 꿈을
꾸다가 서운함 속에 깨어나기까지 했다.

다행히도 실제 세상은 그때의 우리 반과 꼭 같지는 않아,
그래도 내가 나온 일류 대학과 거기서 닦은 지식을
써 주는 곳이 아직은 더러 남아 있었다. 그중에 내가 하나
찾아낸 곳이 사설 학원이었다. 그곳도 꼭 옛날의
성적대로 되는 것은 아니고, 뒤늦게 출발한 강사 생활이라
적응에 고생은 좀 됐지만, 어쨌든 나는 거기서 다시
아내와 아이들을 보살필 만한 수입을 벌어들일 수
있었다. 그리고 몇 달 지나지 않아 제법 내 집 마련의
꿈까지 키울 수 있을 만큼 생활이 나아졌다. 하지만,
석대에 대한 나의 그런 단정은 조금도 변하지 않았다.

이따금씩 만나는 초등학교 동창들도 심심찮게 그런
내 단정을 뒷받침해 주었다.

"엄석대 그 친구, 역시 물건이더군. 최고급 승용차
뒷자석에 턱 젖히고 앉아 가는 걸 봤지."

"고향에 갔다가 엄석대 개 때문에 기분 콱 잡쳤어. 고향
친구들 불러 술 한잔 하는데, 온통 개 얘기뿐이더군. 무얼

하는지 젊은 녀석 둘을 달고 와 중앙통을 돈으로 휩쓸고
간 모양이야."

녀석들은 감탄조로 그렇게 말했지만, 나는 오히려
그들이 석대를 일부러 왜소하게 만들고 있는 듯한
느낌마저 들었다.

우리들의 석대는 그렇게 작아서는 안 되었다. 그렇게
속된 성공으로 그친다면, 이미 실패의 예감이 짙은 내
삶을 해명할 길이 없어지고 마는 것이었다. 또, 우리들의
석대는 그렇게 쉽게 그의 힘과 성공이 눈에 띄어서도
안 되었다. 보다 은밀하고 깊은 곳에 숨어 지금의 이 반을
주물러 대고 있어야 했고, 그래서 내가 자유와 합리의
기억을 포기하기만 하면, 다시 그의 곁에 불러 앉혀
주어야 했다. 내 재능의 일부만 바치면, 그는 전처럼 거의
모든 것을 내게 줄 수 있어야 했다.

그런데…… 끝내는 나도 그를 만나고 말았다. 바로 지난
여름의 일이었다. 입시반 때문에 겨우 사흘 얻은 휴가로
나는 아내와 아이들을 데리고 강릉으로 갔다. 딴에는
마음먹고 나선 피서길이라 굳이 돈을 아끼려는 것은
아니었으나, 마침 새마을호 표가 매진돼 어쩔 수 없이
타게 된 우등칸은 고생스럽기 그지없었다. 따로 좌석을
사기에는 아직 어려서 하나씩 데리고 앉은 아이들이

칭얼대는 데다가 통로에는 입석 승객들이 들어차 에어컨도
제 구실을 못 했기 때문이었다. 그래서 강릉에 도착하기
바쁘게 기차를 빠져나와 출구 쪽으로 가는데, 문득 등
뒤에서 귀에 익은 외침 소리가 들려왔다.

"놔, 이거 못 놔?"

무심코 소리나는 쪽을 돌아보니 대여섯 발자국 뒤에서
사복 형사인 듯싶은 두 사람에게 양팔을 잡힌 어떤 건장한
젊은 남자가 그들을 뿌리치려고 애쓰며 지르는
고함이었다. 미색 정장에 엷은 갈색 넥타이를 점잖게 받쳐
맸으나, 왼쪽 소매는 그 실랑이로 벌써 뜯겨져 있었다.

나는 그런 그의 선글라스 낀 얼굴이 이상하게 눈에 익어
자신도 모르게 발걸음을 멈추었다.

"튀어 봤자 벼룩이야. 역 구내에 쫙 깔렸어!"

형사 한 사람이 차갑게 내뱉으며 허리춤에서
반짝반짝하는 수갑을 꺼냈다. 그걸 보자, 붙잡힌 남자는
더욱 거세게 몸부림쳤다.

"이 자식이 아직도 정신 못 차려?"

보다 못한 다른 형사가 그렇게 쏘아붙이며 한 손을 빼
남자의 입가를 쳤다. 그 충격에 선글라스가 벗겨져
날아갔다. 그러자 비로소 드러난 그 남자의 얼굴, 아!
그것은 놀랍게도 엄석대였다. 30년 가까운 세월이

지나갔건만, 한눈에 알아볼 수 있는 그 우뚝한 콧날, 억세 보이는 턱, 그리고 번쩍이는 눈길…….

나는 못 볼 것을 본 사람처럼 두 눈을 질끈 감았다. 그런 내 눈앞에 교탁 위에서 팔을 들고 꿇어앉아 있던 26년 전 그날의 석대가 떠올랐다. 몰락한 영웅의 비장미도 뭐도 없는 초라하고 무력한 우리들 중의 하나가.

"여보, 당신 왜 그러세요?"

영문도 모르고 내 곁에 붙어 섰던 아내가 가만히 옷깃을 당기며 걱정스레 물었다. 나는 그제서야 눈을 뜨고 다시 석대 쪽을 보았다. 그사이 수갑을 받은 석대는 두 손으로 피 묻은 입가를 씻으며 비척비척 끌려가고 있었다. 내 곁을 지날 때 흘끗 나를 곁눈질했지만, 조금도 나를 알아보는 것 같지는 않았다…….

그날 밤, 나는 잠든 아내와 아이들 곁에서 늦도록 술잔을 비웠다. 나중에는 눈물까지 두어 방울 떨군 것 같은데, 그러나 그게 나를 위한 것이었는지, 또 세계와 인생에 대한 안도감 때문이었는지, 새로운 슬픔과 절망 때문이었는지 지금도 뚜렷하지 않다.

우리들의 일그러진 영웅

한원균

문학평론가/충주대학교 문예창작과 교수

1

　사람들이 모여 사는 사회(작게는 가정에서, 크게는
국가에 이르기까지)에는 구성원들이 스스로 지켜야 할
규칙이 있다. 규칙은 그 사회를 유지하고 개개인의
안전한 삶을 위해 만든 제도이다. 사람들은 대체로 이
규칙을 자연스럽게 지켜 나가지만, 그렇지 않는
경우에는 강제적 제약을 받는다. 이 강제적 제약을
행사하는 힘을 권력이라 한다. 권력은 사회 구성원들의
뜻을 모아서 만들어진다. 그 대표적인 예가 선거
제도이다.

　그런데 만약 욕심 많은 개인이나 소수 집단이
부정하게 권력을 잡고 사람들의 자유로운 생각과
행동을 제약한다면 그 사회는 매우 위험한 상태에
처하게 될 것이다. 더구나 그 잘못을 바꾸고자 하는

올바른 의지를 권력을 이용하여, 사회 전체의
이름으로 억압하고 삶을 잘못된 길로 이끈다면 문제는
더욱 심각해진다.

  이문열의 "우리들의 일그러진 영웅"은 바로 이런
문제를 소설화한 것이다. 여기서 한 가지 특징은
이러한 주제를 좀 더 쉽게 전달하기 위해 초등학교
교실을 소설의 무대로 삼고 있다는 점이다. 이는
작가가 자신이 생각하고 있는 사상이나 주제를
의미 있고 알기 쉽게 독자에게 전달하고, 독자로 하여금
좀 더 폭넓게 생각할 수 있는 기회를 마련하기 위해
택하게 된 방법이다. 즉, 어려운 주제를 비유적으로 잘
드러내고 있다. 이제 이러한 방법이 소설 속에서
어떻게 구체적으로 형상화되었는지 살펴보기로 하자.

2

"우리들의 일그러진 영웅"은 1980년대 후반에 발표된 중편 소설이다. 작가 이문열은 "사람의 아들", "젊은날의 초상", "영웅시대", "황제를 위하여" 등의 장편 소설과 "금시조", "어둠의 그늘" 등의 중·단편집 그리고 최근엔 "변경" 12권을 집필하는 등 매우 활발하게 작품 활동을 하고 있다. 그는 인간 개인의 문제로부터 역사의 문제에 이르기까지 매우 다양한 관심을 갖고 있으며, 특히 역사적 사건과 소재를 오늘날의 여러 가지 상황에 적절히 관련지어 소설로 형상화하는 능력이 매우 뛰어난 작가이다.

"우리들의 일그러진 영웅" 역시 가장 예민한 현실 문제, 즉 개인과 사회 사이의 불일치, 그리고 여러 사람들의 생각이라는 전체 논리에 어떻게 한 개인이 철저히 복종하게 되는지를 잘 보여 주고 있는 작품이다. 이 작품의 공간은 시골의 작은 초등학교이다. 그런데 계절이라든가, 낮 혹은 밤이라든가 하는 시간의 배경은 정확하게 그려지지 않았다. 특정한 시간, 공간의 배경이 이 소설을 읽어 내는 데 그다지 중요한 의미를 갖는 것은 아니기 때문이다.

소설은 서울에 살다가 아버지의 직장 문제로 시골로 전학 온 한병태라는 5학년 학생이 등장하면서 시작된다. 여기서 주의 깊게 보아야 할 점은, 이 작품이 과거를 회상하는 형식으로 서술되고 있다는 사실이다. 정확히 말하면, 주인공 한병태가 26년 전 자신의 초등학교 시절을 떠올려 보는 방법을 취하고 있다. 이 같은 형식을 갖게 된 이유는 대체로 두 가지로 설명할 수있다.

첫째, 사건이 이루어지는 시간은 한병태의 5학년 시절, 즉 어린 시절이다. 따라서 어린이의 시선으로 사건을 관찰해야 하는데, 어린이의 언어를 사용하여 소설을 써 나간다는 점이 매우 어렵기 때문이다.

둘째, 어른이 된 한병태와 이 글을 쓰고있는 작가 이문열이 살고 있는 현실 상황이 유사하다는 점이다. 1980년대 한국 사회는 정치의 민주화를 요구하는 시위가 많은 사람들에 의해서 일어났던 시대였다. 이문열은 한병태를 통해서 자신이 처한 현실 문제에 대하여 간접적으로 말하고자 했던 것이다.

소설가는 소설을 통해 자신이 살고 있는 시대의 가장 중요한 문제에 대하여 관심을 드러내기도 한다. 그것은 반드시 소설을 통해 옳고 그름을 가리겠다는

생각에서라기보다, 자신과 함께 현실을 살고 있는 많은
사람들에게, 우리가 가장 관심 있게 지켜 보아야 할
문제가 무엇인지를 일깨워 주는 역할을 한다는 점에서
뜻깊은 것이다.

한병태는 전학 첫날 엄석대라는 학생을 만나게
된다. 엄석대는 학급의 반장일 뿐 아니라 공부까지도
일 등을 하며, 담임 선생님의 각별한 배려에 힘입어
학급의 모든 일을 도맡아 하고, 반 학생들로부터도
특별한 대접을 받는다. 이런 모습이 한병태에게는
낯설게 보인 것이다. 그는 이런 반 분위기가 매우
싫었고, 동시에 "불합리와 폭력에 기초한 어떤 거대한
불의가 존재한다는 확신"(25쪽)을 갖게 된다. 그러나 이
같은 불의에 대한 대항은 번번이 실패로 끝나고 만다.
특히 엄석대가 보여 주고 있는 교활함과 참을성 등은

싸우고자 하는 의지마저 때때로 없어지게 만든다. 하지만 한병태에게는 "반란의 열정"(39쪽)이 존재했고, 여전히 엄석대를 중심으로 한 학급의 운영 방식은 바뀌어야 한다고 굳게 믿었던 것이다. 담임 선생님의 도움을 받을 수 있을 것이라는 생각에 이름을 쓰지 않고 엄석대의 잘못을 적어 내기로 한 일도 실패로 돌아간다. 결국 그는 일러바치기만 하는 의리 없는 학생으로 낙인 찍히고 친구들로부터 철저하게 따돌림을 당하게 된다. 주먹싸움에서도 터무니없는 대접을 받으면서 병태는 엄석대의 힘을 인정하지 않을 수 없게 된다. 대청소를 위해 유리창을 닦는 일을 배정받은 병태에게 석대의 보복은 더욱 가혹하게 이루어지고, 결국 병태는 석대의 막강한 권력 앞에 무릎을 꿇게 된다.

그날 이후 석대의 태도는 몰라보게 달라진다. 병태를
자신의 지휘 아래로 굴복시키면서 그에게도 일종의
특혜를 베풀기 시작한 것이다. 아이들의 태도도 역시
달라진다. 주먹싸움의 순위도 다시 본래대로
돌아오고, 심하게 떨어졌던 성적이 다시 오르기
시작했다. 그를 괴롭히던 친구들도 없어지고, 오히려
석대는 병태를 자신의 편에서 철저히 보호해 주었다.
그런 혜택은 실상 병태 자신이 본래부터 가졌어야
마땅한 권리임에도 불구하고 석대에 대한 고마움은
비굴할 정도로 커졌던 것이다.

　그러던 중 석대의 아성이 일시에 무너져 버리는
사건이 발생한다. 바로 6학년이 되고 새로운 담임
선생님이 부임하면서 치렀던 시험에서, 석대를 위해
학급의 우등생들이 돌아가며 답안지를 바꾸어 준다는

비밀이 폭로되면서 석대는 학교를 떠나게 되고 학급은 완전히 다른 분위기로 바뀌게 된다. 여기서 병태는 또 다른 어려움을 맞게 된다. 즉 엄석대의 비리를 보호하는 듯한 태도가 아이들로부터 심한 비난을 받게 된다는 것이다. 그러나 병태의 생각은 달랐다. 그는,

> 나는 아무래도 느닷없는 그들의 정의감이 미덥지 않았다. ……중략…… 내 눈에는 그 애들이 석대가 쓰러진 걸 보고서야 덤벼들어 등을 밟아 대는 교활하고도 비열한 변절자로밖에 비치지 않았다. (122쪽)

라고 말하고 있다. 사람들이 대개 자신이 가졌던 생각이 옳다고 믿는다면 상황이 달라졌다고 해서 그 생각을 쉽게 버릴 수 없는 것이기 때문에, 아이들의 이 같은 행동 변화를 병태는 받아들이기 어려웠던 것이다.

석대가 떠난 뒤 학급은 민주적인 분위기로 돌아서게
된다. 그런 일이 있고부터 26여 년이 지난 어느 날,
한병태는 엄석대가 경찰에 붙잡혀 가는 장면을 보게
된다.

　이 소설은 전체라는 이름으로 가해지는 폭력 앞에
한 개인이 얼마나 철저하게 무너져 내릴 수 있는지,
그리고 그런 폭력은 개인의 잘못된 영웅주의로부터
출발하면서 동시에 그 집단을 이루고 있는
사람들에게도 중대한 책임이 있다는 점을 뚜렷하게
보여 주고 있다. 도덕성을 잃은 집단이나 개인의 힘에
굴복하여 현실의 편안함과 쾌락을 추구하는 삶은
얼마나 거짓에 가득 찬 것인가를 다시 한 번 확인하게
된다. 특히 올바르지 못한 세력에 의해 상식적인
판단이나 진실을 보는 눈마저 빼앗겨 버림으로써 그

세력권 안으로 굴복해 가는 개인의 모습이 보이고
있다는 점이 특징으로 드러나고 있다. 거짓으로 꾸며진
생각에 의지할 수밖에 없는 삶은 비굴하며, 더구나
올바르지 못하다는 사실을 잘 알면서도 현실의 이익
때문에 잘못된 생각을 받아들일 수밖에 없는 모순을
정확하게 표현해 주었다는 점 역시 돋보이고 있다.

3

이 작품은 초등학교 교실에서 생긴 이야기를 다루고
있지만, 우리들이 살고 있는 사회 곳곳에서도 흔히
찾아볼 수 있는 이야기이다. 전체라는 이름으로
행해지는 폭력과 현실적인 이익을 위해 정의와 자유를
저버리는 개인들의 무책임성과 그에 따르는 마음의
갈등 등이 그것이다. 이 작품에서 드러난 주제가

우리들이 살고 있는 사회나 역사, 혹은 집단이나 개인의 사상에 이르기까지 그 의미가 널리 적용될 수 있기 때문이다.

이런 점에서 "우리들의 일그러진 영웅"은 한국 사회의 모습을 떠올리게 한다. 적은 수의 사람들에게 주어진 권력이 여러 사람들의 지지를 받지 못한 채, 자신들의 이익만을 위해 개인의 자유와 진실을 무시한다면 커다란 문제가 아닐 수 없다. 또한, 그런 잘못된 몇 사람들에게 많은 힘을 주고 나서 그를 통해 더 큰 이익을 얻고자 하는 사람(가령, 학급이 조용히 운영되기를 바라는 담임 선생님)이 있다는 점도 일깨워 주고 있다.

소설가는 많은 사람들의 공동의 문제에 대하여 늘 관심을 갖는다. 사람들이 이루어 놓은 사회는 여러 가지 일들이 발생할 수 있는데, 작가는 그런 문제에 대하여 누구보다도 많은 관심을 갖는다. 소설의 주인공들은 종종 의미 없어 보이는 싸움에도 자신의 명예와 자존심을 걸고 맞서는 경우가 있다. 주인공을 통해 작가는 사회에 대한 자신의 관심과 사상을 드러내는 것이다. 사회는 언제나 하나의 방향, 혹은 권력을 갖고 있는 사람들의 생각대로만 움직이는 것이 아니기 때문이다. 더욱이 매우 다른 생각과 행동이 함께 존재하는 사회에서 다른 사람에 의해 강요된 이념이나 신념은 사회를 더욱 나쁜 방향으로 이끌고 올바른 민주주의를 이루는 데 방해가 된다. 소설은 여러 가지 생각들이나 가치관을 제시하지만, 우리는 무엇이 옳고 그른가만을 판단하기 위해서 소설을 읽지 않는다. 오히려 그와 같은 판단에 이르는 과정을

중시하면서 사람들로 하여금 자신의 삶을 반성하게
하는 데 더 큰 의의를 둔다. 이는 '성춘향은 옳고
변학도는 나쁘다'라는 사실만을 확인하기 위해
"춘향전"을 읽지는 않는 것과 그 이치가 같다.

　"우리들의 일그러진 영웅"은 우리나라의 특수한
시대 상황을 상징적으로 나타냈을 뿐 아니라, 인간
사회에서 흔히 발생할 수 있는 일반적인 사고 방식과
신념 그리고 권력이 가질 수 있는 문제에 대하여 흥미
있게 그린 작품이다.